¿CÓMO? · ¿CUÁNDO? · ¿POR QUÉ?

El cuerpo humano, la Tierra, el espacio,
pueblos, lugares, ciencia, los seres vivos,
animales, dinosaurios, plantas

PREGUNTAS Y RESPUESTAS DE CULTURA GENERAL

¿CÓMO? · ¿CUÁNDO? · ¿POR QUÉ?

El cuerpo humano, la Tierra, el espacio, pueblos, lugares, ciencia, los seres vivos, animales, dinosaurios, plantas

PREGUNTAS Y RESPUESTAS DE CULTURA GENERAL

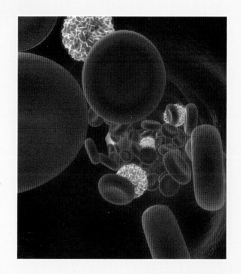

Louise Spilsbury

PaRragon

Bath · New York · Singapore · Hong Kong · Cologne · Delhi · Melbourne

ÍNDICE

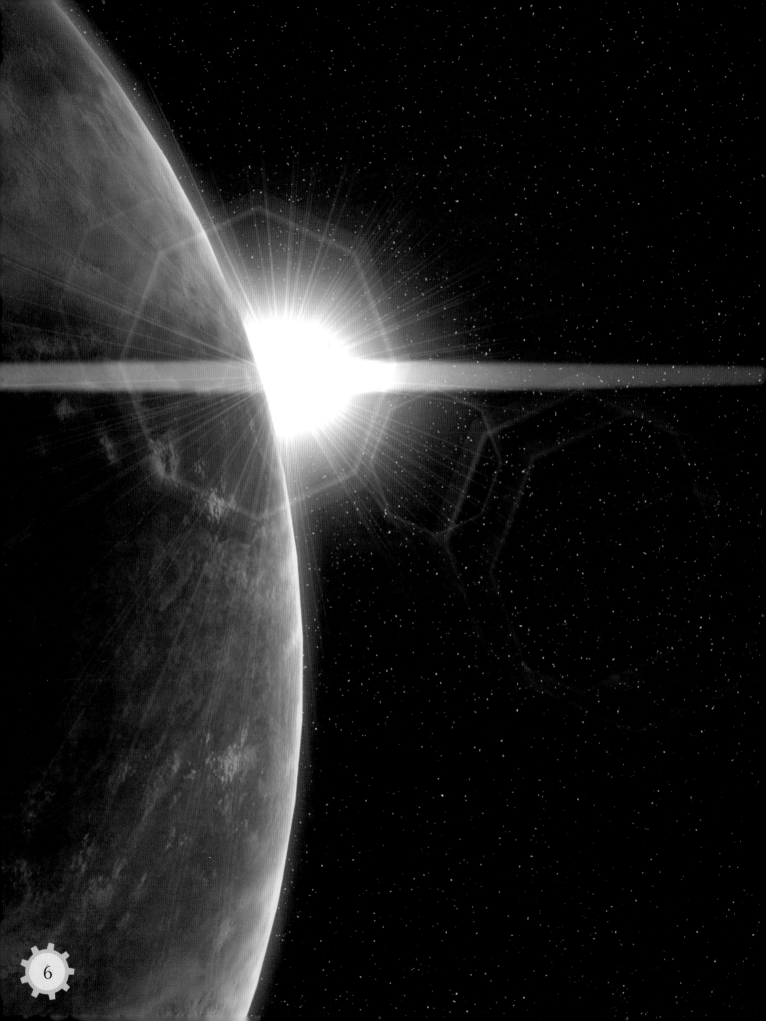

LA TIERRA Y EL ESPACIO

La Tierra forma parte de un grupo de planetas que orbitan alrededor de una gran bola de gas incandescente: el Sol. Aunque parezca enorme, la Tierra no es más que un grano de arena en medio de la inmensidad del universo, con sus miles de millones de estrellas y galaxias. En su superficie, la Tierra es un planeta incansable y en constante transformación, con volcanes que entran en erupción, terremotos y unas fuerzas indomables que transforman el paisaje sin cesar.

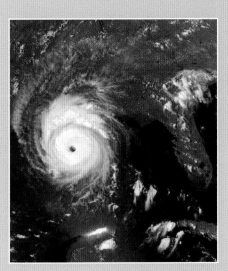

EL BIG BANG

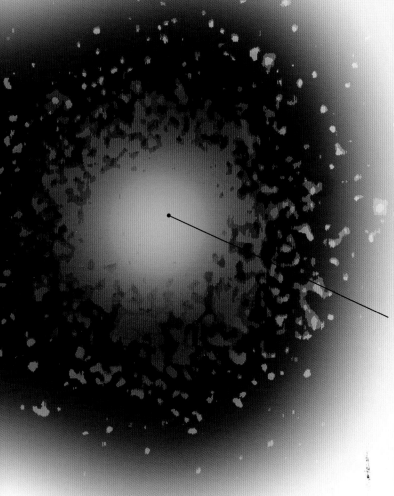

¿Qué fue el Big Bang?

El Big Bang («gran explosión» en inglés) provocó el nacimiento del universo. Hace unos 14.000 millones de años el universo era sólo una densa burbuja tan pequeña como una gota de agua. Esa burbuja explotó, se hizo del tamaño de una galaxia y luego siguió expandiéndose. A medida que se iban enfriando, las pequeñas partículas fruto de la explosión empezaron a unirse para formar las estrellas y los planetas.

El Big Bang se produjo a partir de un pequeño punto llamado singularidad.

ABAJO Las estrellas, al nacer, son nubes de gas como esta, llamadas nebulosas.

¿Cuándo nacieron las estrellas?

Las primeras estrellas empezaron a brillar unos 300 millones de años después del Big Bang. Las partículas empezaron a agruparse hasta formar nubes de gas, que fueron creciendo y calentándose cada vez más. Al final, el núcleo de esas nubes alcanzó tal temperatura que explotaron y se convirtieron en bolas de fuego: las estrellas. Todos los días nacen y mueren estrellas.

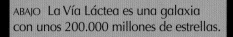

ABAJO La Vía Láctea es una galaxia con unos 200.000 millones de estrellas.

¿SABÍAS QUE…?
Algunas de las estrellas que vemos por la noche están tan lejos que su luz ha tardado millones de años en llegar a la Tierra.

¿Cuántas galaxias hay?

En el universo hay más de 100.000 millones de galaxias. Una galaxia es un grupo de estrellas, polvo, gas, rocas y planetas. La mayoría de las estrellas del universo forman parte de galaxias. El Sol y la Tierra pertenecen a la Vía Láctea, nuestra galaxia. Gracias a unos telescopios muy potentes, los astrónomos han fotografiado muchas galaxias, aunque a simple vista sólo podemos ver tres además de la Vía Láctea.

Las potentes lentes del telescopio amplían la imagen de objetos lejanos.

¿Está cambiando el universo?

Sí, el universo sigue creciendo y expandiéndose. Unos científicos creen que continuará en expansión, mientras que otros piensan que el proceso se irá frenando hasta detenerse. Entonces, según su opinión, el universo empezará a encogerse hasta quedar comprimido otra vez en un espacio diminuto y se producirá un nuevo Big Bang.

EL SOL

¿Qué es el Sol?

El Sol es una estrella más, una de entre los miles de millones que hay en el universo. Es un astro importante para nosotros porque está lo bastante cerca de la Tierra como para proporcionarnos luz y calor. El Sol es el que permite que vivan plantas, animales y demás seres vivos. Sin su energía, no habría vida sobre la Tierra.

Las fotografías detalladas del Sol muestran los gases calientes que brotan de su superficie.

ABAJO Las placas solares captan parte de la energía del Sol y la convierten en electricidad que podemos aprovechar.

¿Qué temperatura alcanza el Sol?

La temperatura en el núcleo del Sol es de unos 16 millones de grados Celsius. Desde el núcleo, esa energía tan caliente fluye hacia la superficie, donde se enfría hasta los 6.000 ºC. Pero sigue siendo una temperatura tan increíblemente alta que derretiría cualquier objeto con el que entrara en contacto.

¿Por qué brilla tanto el Sol?

El Sol es el cuerpo más brillante del cielo porque es una bola gigante de gas en combustión y la tenemos cerca. La luz del Sol llega a la Tierra en sólo ocho minutos, y cuando lo hace aún es tan potente que podría dañar la vista. Por eso nunca se debe mirar el Sol directamente y siempre hay que ponerse gafas oscuras en los días soleados.

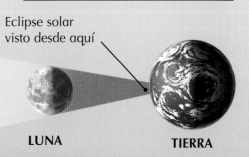

¿SABÍAS QUE...?
El Sol existe desde hace unos 5.000 millones de años y tiene un diámetro de casi un millón de kilómetros. Cabrían más de un millón de planetas Tierra dentro.

Eclipse solar visto desde aquí

LUNA

TIERRA

SOL

ARRIBA El diámetro del Sol es 400 veces mayor que el de la Luna. Sin embargo, como la Luna está también 400 veces más cerca de la Tierra que el Sol, desde aquí parece que sean más o menos iguales.

¿Cuándo ocurren los eclipses solares?

La Luna gira alrededor de la Tierra. Un eclipse solar se produce cuando la Luna se sitúa entre el Sol y la Tierra y proyecta su sombra sobre nuestro planeta. Los eclipses totales son poco frecuentes, pero cuando ocurren parece que el Sol desapareciera y, por unos instantes, todo queda frío y a oscuras.

EL SISTEMA SOLAR

JÚPITER

VENUS

SOL

MERCURIO

TIERRA

MARTE

SATURNO

¿Qué es el sistema solar?

El sistema solar está formado por el Sol y los planetas que se mueven a su alrededor en líneas ovales llamadas órbitas. Un planeta es una gran bola de rocas o gas que gira en órbita alrededor de una estrella. Además, en nuestro sistema hay otros cuerpos, como lunas y asteroides.

¿SABÍAS QUE…?

El Sol está tan lejos que, si intentaras ir allí en coche, conduciendo a 90 km/h tardarías 170 años en llegar.

¿A qué distancia estamos del Sol?

La Tierra está a casi 150 millones de kilómetros del Sol, lo bastante lejos como para que el agua esté en estado líquido. Si estuviera más cerca y, por tanto, a mayor temperatura, el agua se transformaría en gas, mientras que, si estuviera más lejos, se helaría. La distancia entre la Tierra y el Sol explica por qué es el único planeta del sistema solar en que puede haber vida.

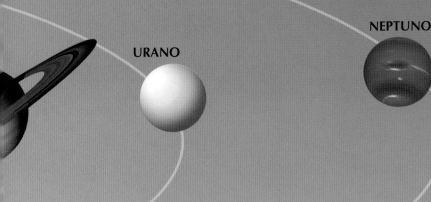

URANO

NEPTUNO

PLUTÓN

Estos son los nueve planetas de nuestro sistema solar. La Tierra es el tercer planeta más próximo al Sol.

¿Por qué orbitan los planetas?

Los planetas orbitan alrededor del Sol porque el Sol es tan grande que su gravedad tiene una fuerza enorme. La gravedad atrae los planetas del sistema solar hacia el Sol y es tan potente que puede mantenerlos en su órbita, girando en la misma dirección.

¿Cuándo se formó la Tierra?

La Tierra y los demás planetas se formaron hace unos 5.000 millones de años. El nuestro nació del polvo y los gases que giraban alrededor del Sol durante su formación. En medio de un intenso calor, el polvo y los gases fueron compactándose hasta formar una bola rocosa. Aún hoy, la Tierra recibe el impacto de polvo y de alguna roca grande.

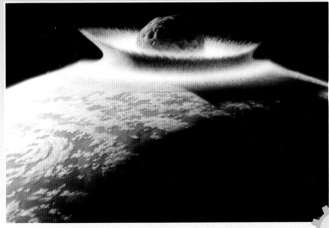

13

PLANETAS ROCOSOS

¿Cuáles son los planetas rocosos?

Mercurio, Venus, la Tierra y Marte se conocen como los planetas rocosos porque están formados principalmente por roca y metal. Mercurio es el más próximo al Sol. En su superficie, de día la temperatura es altísima, y sin embargo de noche hace un frío glacial. Este fenómeno se debe a que su atmósfera es muy delgada y no tiene nubes que atrapen y retengan el calor.

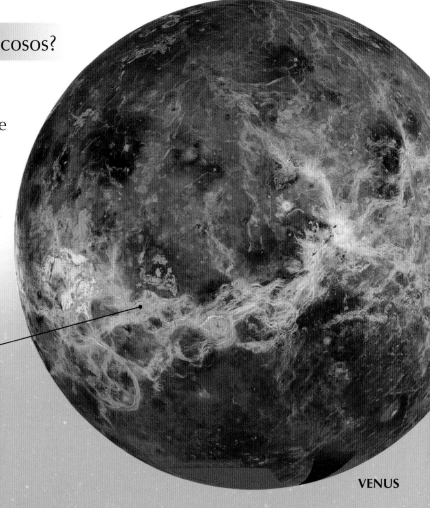

No podemos ver la superficie de Venus porque siempre está cubierta de espesas nubes.

MERCURIO

VENUS

¿Cuál es el planeta más caliente?

Aunque Venus es el segundo planeta más cercano al Sol, es el que tiene la superficie más caliente. Supera a Mercurio debido a la capa de nubes que se desplaza a su alrededor a gran velocidad. Esa capa retiene el calor solar e impide que se escape al espacio. La densa atmósfera de Venus está compuesta principalmente por dióxido de carbono, un gas letal para las personas.

¿Por qué es la Tierra el planeta azul?

Se dice que la Tierra es el planeta azul porque las tres cuartas partes de su superficie están cubiertas de agua, que desde el espacio se ve azul. Cuando se formó, quedó cubierta por una capa de gas, que la protege para que la temperatura no sea demasiado alta ni baja. Al empezar a llover se formaron los ríos, lagos y océanos.

¿SABÍAS QUE…?
Hay científicos que creen que puede haber vida en Marte. Aunque la superficie es demasiado fría, ciertos microorganismos podrían vivir en rincones cálidos bajo tierra.

TIERRA

MARTE

¿Por qué Marte es de color rojo?

Marte se conoce como el planeta rojo por el color de su superficie, rica en óxido de hierro, un polvo de color rojizo. Marte tiene muy poca atmósfera y unas temperaturas gélidas. Igual que la Tierra, está cubierto de hielo en los polos norte y sur, pero el resto de su superficie no es más que un desierto rojo y polvoriento.

PLANETAS GASEOSOS

¿Cuáles son los planetas gaseosos?

Júpiter, Saturno, Urano y Neptuno son los planetas gaseosos, grandes bolas de gas en movimiento con pequeños núcleos rocosos. Júpiter y Saturno son tan grandes que también se conocen como los planetas gigantes. Júpiter pesa el doble que el resto de los planetas juntos, y Saturno es casi tan grande como Júpiter.

Júpiter es el planeta más grande del sistema solar. Sus brillantes colores se deben a los diferentes gases presentes en sus nubes.

ABAJO Los famosos anillos de Saturno son muy delgados en comparación con el tamaño del planeta, pues ninguno supera los 50 metros de grosor.

¿Por qué tiene anillos Saturno?

Los anillos de Saturno están compuestos por polvo y fragmentos de roca y hielo. Los expertos creen que el polvo y la roca podrían proceder de lunas que se fragmentaron al chocar con otros objetos. Los millones de pedazos de roca helada que forman los vistosos anillos orbitan alrededor de Saturno debido a la fuerza de gravedad del planeta.

¿Cuántas lunas tiene Júpiter?

Júpiter tiene 63 lunas, o tal vez más. Una luna es un objeto que orbita alrededor de un planeta. Unas son rocosas y redondas y otras están heladas o son volcánicas. Júpiter también tiene anillos, como Saturno, aunque más pequeños. También tienen anillos Urano y Neptuno.

ARRIBA Con unos prismáticos no es difícil ver las cuatro lunas principales de Júpiter. El astrónomo italiano Galileo Galilei fue la primera persona que vio esas lunas, y también los anillos de Saturno, con un telescopio primitivo. Ocurrió en 1610.

¿SABÍAS QUE...?
Entre los millones de fragmentos de materia que forman los anillos de Saturno los hay tan grandes como una casa, mientras que otros son diminutos como granos de arena.

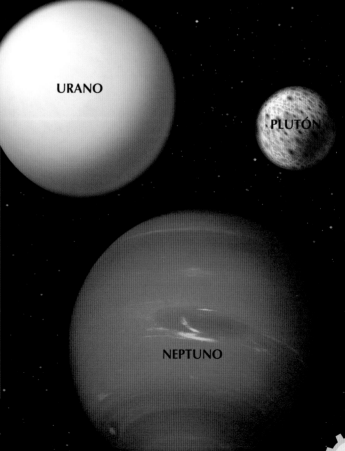

URANO

PLUTÓN

NEPTUNO

¿Cuándo se descubrieron Urano, Neptuno y Plutón?

Los astrónomos descubrieron Urano, Neptuno y Plutón más tarde que el resto de los planetas porque están muy lejos. Urano fue descubierto en 1781, Neptuno, en 1846, y Plutón, cinco veces más pequeño que la Tierra, en 1930. Plutón es tan pequeño que siempre ha habido controversia respecto a su condición de planeta. Desde 2006 está en la categoría de planetas enanos.

ASTEROIDES, COMETAS Y METEOROS

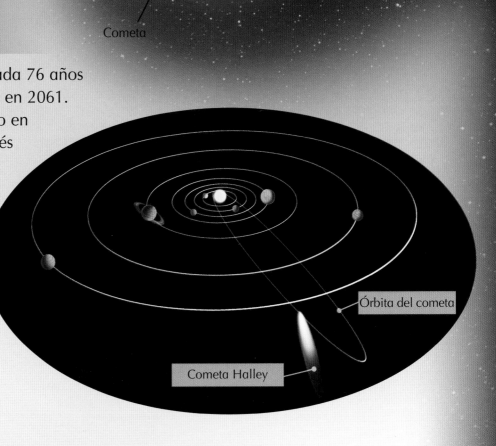

Estela de gas

¿Qué es un cometa?

Un cometa es un conglomerado de roca, hielo y gas congelado que orbita alrededor del Sol. Cuando su órbita se aleja del Sol permanece helado, pero, a medida que se acerca, el gas y el polvo se evaporan y se forma una estela luminosa que puede alcanzar una longitud de millones de kilómetros.

Cometa

¿Cuándo vemos el cometa Halley?

El cometa Halley se ve cada 76 años y podremos contemplarlo en 2061. Este cometa fue bautizado en honor del astrónomo inglés Edmond Halley, que en 1682 descubrió que ya se había avistado antes. Cada año pueden verse unos 20 cometas diferentes desde la Tierra, aunque para la mayoría se necesita un telescopio.

Órbita del cometa

Cometa Halley

¿SABÍAS QUE…?

En un año pueden caer a la Tierra hasta 20.000 meteoritos. Por suerte, la mayoría son muy pequeños.

¿Cuánto mide un asteroide?

Los asteroides son rocas con formas curiosas que orbitan alrededor del Sol. Pueden ser desde pequeñas partículas hasta enormes moles de casi mil kilómetros de ancho. La mayoría están en el llamado Cinturón de asteroides, entre Marte y Júpiter. Otros orbitan cerca del Sol, y algunos han sido arrastrados hacia las órbitas de planetas como Júpiter, Marte y la Tierra por su fuerza de gravedad.

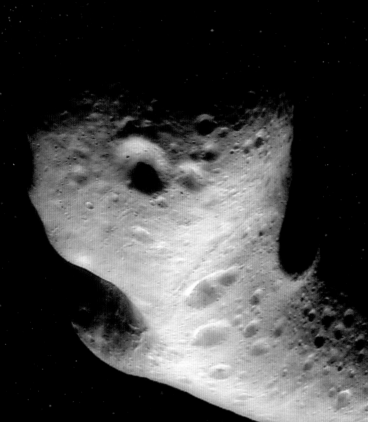

¿De dónde vienen los meteoritos?

Los meteoritos son rocas procedentes del espacio exterior. A veces, al entrar en la atmósfera se incendian por la fricción del aire y producen una estela que llamamos meteoro. Otros superan la atmósfera terrestre y chocan con la superficie. La mayoría son como canicas, pero siglos atrás enormes meteoritos abrieron profundos cráteres en la superficie terrestre.

LA LUNA

¿Cuánto mide la Luna?

El diámetro de la Luna es de 3.476 km, aproximadamente una cuarta parte del de la Tierra. La Luna es el único satélite natural de la Tierra y su órbita depende de la fuerza de gravedad de nuestro planeta. La Luna tarda unas cuatro semanas en completar una órbita terrestre, lo que nos ha servido para calcular los meses.

ABAJO Los científicos creen que en los cráteres de la superficie lunar hay ocultas grandes cantidades de agua helada. Desde la Tierra, los cráteres se ven como sombras oscuras.

Cráter

Mar

¿Por qué está llena de cráteres la Luna?

La atmósfera de la Luna es muy frágil y está muy expuesta al impacto de rocas espaciales, que abren enormes agujeros llamados cráteres. Los más grandes fueron causados por rocas del tamaño de montañas. La mayor parte de la superficie lunar está cubierta de polvo, aunque también están los «mares», que no son de agua, sino de lava seca expulsada por volcanes hace muchos años.

Cuarto creciente   Luna llena   Cuarto menguante

¿Cuáles son las fases de la Luna?

Las diferentes formas que la Luna adopta a lo largo del mes se conocen como fases lunares. Cuando vemos la Luna entera, la llamamos luna llena. Cuando es totalmente invisible, hablamos de luna nueva. Cuando sólo vemos un delgado arco, la luna es creciente o menguante. La Luna no cambia de forma, sino que vemos diferentes partes en función de su órbita alrededor de la Tierra.

ARRIBA Las fases de la Luna vistas desde el hemisferio sur. La Luna cambia desde un fino arco creciente hasta un círculo y después comienza a menguar. Vista desde el hemisferio norte, la Luna crece de derecha a izquerda

¿Quién pisó la Luna por primera vez?

El astronauta estadounidense Neil Armstrong fue la primera persona que pisó la Luna. Al hacerlo, el 21 de julio de 1969, dijo: «Es un pequeño paso para el hombre, pero un gran salto para la humanidad». Junto con Edwin Aldrin, recogió muestras y tomó fotografías. Gracias a la escasa gravedad de la Luna, no les costaba moverse aunque llevaran trajes espaciales debido a la ausencia de oxígeno y a la potencia de la luz solar.

21

EL DESCUBRIMIENTO DEL ESPACIO

¿Dónde está el mayor telescopio del mundo?

Los telescopios más grandes del mundo están en la cima de un volcán extinguido de Hawái, en el observatorio Keck. Estos dos telescopios ópticos están equipados con espejos en lugar de objetivos para captar hasta la luz más tenue de galaxias lejanas. El espejo principal de cada uno de ellos mide unos 10 metros de ancho.

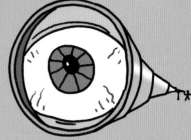

¿SABÍAS QUE...?
Los astrónomos quieren construir telescopios ópticos cada vez más grandes, con espejos de entre 30 y 90 metros de ancho.

¿Por qué telescopios espaciales?

Al observar el firmamento con telescopios terrestres, interfieren en la imagen nubes y polución. Los telescopios espaciales están situados fuera de la atmósfera, por lo que pueden mostrar el espacio con mayor nitidez. El telescopio espacial Hubble orbita a unos 600 km de la Tierra y ha proporcionado imágenes espectaculares de nuestro sistema solar y de lejanas galaxias.

IZQUIERDA El telescopio espacial Hubble se puso en órbita en 1990.

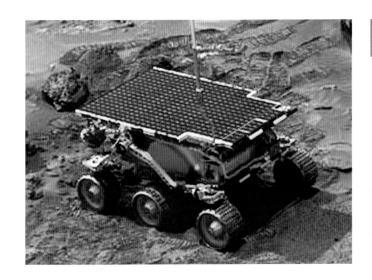

¿Cómo funcionan las sondas?

Las sondas son pequeñas naves-robot lanzadas al espacio y programadas para sobrevolar planetas o aterrizar en ellos. Las sondas toman fotografías y recogen datos mediante radares y otros equipos. Después, envían la información a la Tierra por señales de radio. En 2004 una sonda de la NASA enviada a Marte transmitió impresionantes imágenes de su superficie.

¿Qué ocurre en una estación espacial?

Una estación espacial es un laboratorio situado en el espacio en el que los astronautas estudian las estrellas y otros objetos y analizan, por ejemplo, cómo nos afecta la ingravidez. Los astronautas viajan a la estación en una nave espacial y pasan semanas viviendo y trabajando allí. Además de laboratorios de investigación y equipos como telescopios, una estación espacial también tiene zonas donde los ocupantes descansan y comen.

23

LA TIERRA

Manto

¿Por qué hay estaciones?

En la Tierra hay estaciones porque está inclinada en un ángulo. Como orbita alrededor del Sol, diferentes zonas van quedando más próximas del astro en distinto momento. Cuando el hemisferio norte, la parte superior de la Tierra, está más cerca del Sol, en esa zona es verano, mientras que en el hemisferio sur, la parte inferior y que queda más alejada del Sol, es invierno.

IZQUIERDA El mismo paisaje visto en verano (arriba), otoño (centro) e invierno (abajo).

¿Qué provoca la noche y el día?

La noche y el día existen porque la Tierra da una vuelta completa cada 24 horas. Además de orbitar alrededor del Sol, el planeta Tierra gira sobre su eje, una línea imaginaria que va del Polo Norte al Polo Sur. Por eso, cuando en una mitad de la Tierra luce el sol y es de día, en la otra mitad, que queda de espaldas al Sol, es de noche.

Núcleo exterior

¿Qué hay dentro de la Tierra?

En el interior de la Tierra hay magma, roca en estado líquido ardiendo. La tierra y los océanos se encuentran en una capa exterior de roca fría y dura llamada corteza. El magma caliente de debajo sube y baja lentamente por una capa llamada manto, mientras que en el centro está el núcleo, formado por hierro extremadamente caliente.

¿SABÍAS QUE...?
La superficie de la Tierra está partida en grandes piezas llamadas placas, que encajan como un rompecabezas. Hay nueve grandes placas y varias más pequeñas.

Corteza

Núcleo

Hace 60 millones de años

¿Cómo se dividió la Tierra en continentes?

La tierra descansa sobre grandes placas, que forman la superficie terrestre y se van desplazando. Hace unos 200 millones de años todas las piezas estaban unidas en un solo gran continente, llamado supercontinente. Con el paso de millones de años las placas se desplazaron, la tierra se dividió y poco a poco se formaron los cinco continentes que conocemos hoy: Europa, Asia, África, América y Oceanía, a los que se suele añadir la Antártida.

Hace 155 millones de años

Hace 200 millones de años

VOLCANES Y TERREMOTOS

¿Por qué hay erupciones volcánicas?

Los volcanes entran en erupción cuando el magma caliente (roca líquida) que hay dentro de la Tierra sale a través de agujeros de la superficie. El magma está tan caliente que derrite la roca sólida que encuentra a su paso y empieza a abrir un túnel en la corteza. El magma se va acumulando hasta que el volcán entra en erupción y la roca líquida brota con fuerza.

¿Qué es una isla volcánica?

Cuando un volcán entra en erupción bajo el mar, la roca líquida se enfría y se endurece. Y cada vez que el volcán erupciona queda acumulada mayor cantidad de roca endurecida. Con el tiempo, ese cúmulo puede llegar a convertirse en una montaña submarina cuya cima sobresalga del agua y forme una isla.

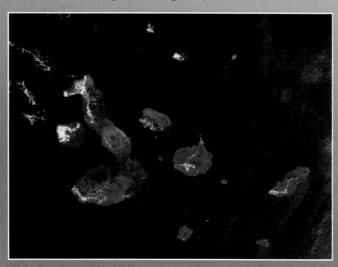

IZQUIERDA
Un archipiélago se puede formar al deslizarse una placa de la corteza terrestre por encima de un agujero del manto por el que salga magma. Las Islas Galápagos se formaron de este modo.

DERECHA
La mayoría de los terremotos no duran ni un minuto, pero sus efectos pueden ser devastadores.

¿SABÍAS QUE...?
En el mundo se producen millones de terremotos al año, aunque la mayoría son tan flojos que ni siquiera nos enteramos de que han ocurrido.

¿Por qué ocurren los terremotos?

Los terremotos ocurren porque las placas de la corteza terrestre se mueven como enormes balsas por encima del magma que tienen debajo. Por lo general se rozan suavemente, pero a veces se produce un choque fuerte entre dos placas. Cuando se vuelven a separar, ese movimiento brusco genera un fuerte temblor en la superficie de la Tierra, y eso es lo que conocemos como terremoto.

¿Qué efectos tienen los terremotos?

Un terremoto de escasa magnitud tal vez se limite a tumbar pequeños objetos, pero uno serio puede hacer temblar edificios y carreteras y abrir enormes grietas en la tierra en las cuales desaparezcan hasta lagos. Algunos provocan deslizamientos de tierras ladera abajo y, en caso de haber edificios al pie de la montaña, pueden quedar sepultados.

ABAJO Los tsunamis son olas gigantes provocadas por terremotos submarinos. Al llegar a la orilla, pueden causar grandes destrozos y llevarse casas por delante.

MONTAÑAS Y VALLES

¿Cómo se forman las montañas?

Algunas montañas son el resultado de erupciones volcánicas.
Los domos nacen cuando el magma forma una acumulación
rocosa redondeada sin llegar a perforar la superficie. Las
montañas de plegamiento surgen cuando dos placas chocan
y la corteza se arruga. Las cordilleras se crean de ese modo.
Las montañas también pueden ser producto de una falla, es
decir una fractura en la corteza terrestre.

¿Continúan creciendo las montañas?

Sí, pueden seguir ganando altura después de formarse.
Por ejemplo, el Himalaya sigue creciendo, aunque sólo
5 cm al año. El Himalaya se formó hace 50 millones de
años, tras el choque de dos de las placas de la Tierra.
A causa de la presión que siguen ejerciendo, las
montañas continúan creciendo.

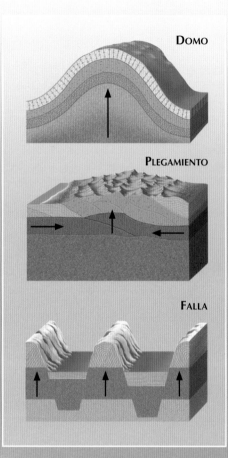

DOMO

PLEGAMIENTO

FALLA

¿SABÍAS QUE...?
La cordillera oceánica
del centro del Atlántico
es una cadena
montañosa submarina
tan larga como las
Montañas Rocosas, los
Andes y el Himalaya
juntos.

¿Qué es un glaciar?

Un glaciar es un enorme río de hielo. A gran altitud y con mucho frío, una acumulación de hielo y nieve provoca que esos ríos fluyan montaña abajo. Pero la mayoría de los glaciares lo hacen tan despacio que el avance apenas es perceptible. A medida que se desplazan, arrastran rocas que abren valles o profundas grietas por donde pasan.

Los glaciares han originado muchos de los valles de la superficie terrestre.

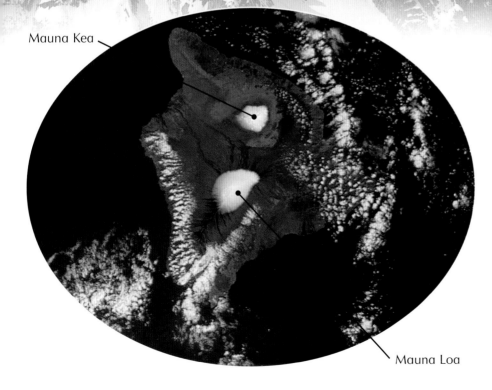

Mauna Kea

Mauna Loa

¿Dónde está la montaña más alta?

La montaña más alta del mundo es el Mauna Kea, en Hawái, que mide 10.173 metros de la base a la cima, aunque casi toda está sumergida. Sólo 4.205 metros sobresalen por encima del nivel del mar. En tierra, el monte Everest es la montaña más alta, con 8.848 metros. En Hawái también está el Mauna Loa, el volcán más grande del mundo.

29

LA FORMA DE LA TIERRA

¿Qué es la erosión?

La erosión es el desgaste de la roca de la superficie de la Tierra, y pueden provocarla el viento, el frío, la lluvia o el calor del sol. La erosión puede incluso cambiar la forma de las montañas. Cuando el agua penetra por las grietas puede convertirse en hielo, que, al ser más voluminoso que el agua, las ensancha y puede romper y desprender trozos de roca.

ABAJO El Gran Cañón tiene 443 km de longitud y hasta 24 km de anchura, con 1.600 metros de profundidad.

¿Cómo se formó el Gran Cañón?

El Gran Cañón, en Arizona, es el mayor valle de la Tierra y fue excavado por el agua. La fuerza y el peso del agua de un río dan forma a la tierra por la que pasa. El agua arrastra fragmentos de roca que provocan que el río se vaya hundiendo cada vez más. De ese modo, a lo largo de muchos siglos, el río Colorado fue excavando poco a poco el Gran Cañón.

¿Cuándo se forman las dunas?

Las dunas son colinas de arena y se forman a medida que el viento acumula montones de pequeños granos de arena en costas y desiertos. La arena es producto del desgaste de las rocas por el viento y el agua: si los elementos hacen que las piedras se rocen o choquen, poco a poco se van rompiendo y empequeñeciendo, hasta convertirse en arena.

¿Por qué retrocede la costa?

Las costas de todo el planeta retroceden debido a la fuerza del mar. Cuando las olas rompen contra el litoral, desgastan las rocas del fondo de los acantilados. Y, al perder soporte, la parte superior del acantilado cae también al mar. Las olas rompen esos fragmentos de roca y los reducen a piedrecitas que desaparecen mar adentro.

¿SABÍAS QUE...?
En algunos sitios, años y años de erosión se han llevado montañas enteras.

LA ATMÓSFERA DE LA TIERRA

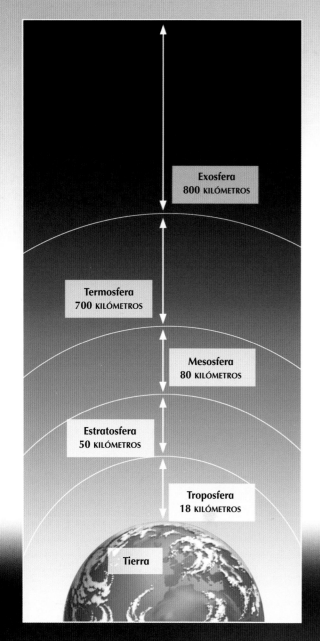

Exosfera
800 KILÓMETROS

Termosfera
700 KILÓMETROS

Mesosfera
80 KILÓMETROS

Estratosfera
50 KILÓMETROS

Troposfera
18 KILÓMETROS

Tierra

¿Dónde está la atmósfera?

La atmósfera es la capa de aire que envuelve la Tierra, una especie de manto de gases que protege el planeta. Uno de los gases principales de la atmósfera es el oxígeno, que todos los seres vivos necesitamos para vivir. La atmósfera protege la Tierra filtrando los rayos nocivos del Sol y se divide en capas. La más próxima a la Tierra es la troposfera.

¿Qué es la presión atmosférica?

La presión atmosférica es el peso del aire que hay en la atmósfera que envuelve la Tierra, y varía de un lugar del planeta a otro. Así, en la cima de una montaña, donde hay menos aire, la presión atmosférica es menor. Normalmente no notamos el peso del aire porque el que tenemos en el interior de nuestro cuerpo presiona hacia fuera y contrarresta la presión del exterior.

ARRIBA A veces los escaladores llevan bombonas de oxígeno porque en zonas elevadas el aire es más ligero y cuesta más respirar.

¿Qué es el efecto invernadero?

Algunos gases atmosféricos se conocen como gases invernadero porque retienen el calor como si fueran cristales de invernadero, que mantienen caliente su interior. Cuando el calor del sol llega a la Tierra, la mayor parte vuelve hacia el cielo. Los gases invernadero retienen la otra pequeña parte y lo proyectan de nuevo hacia la Tierra.

Sol

Atmósfera

Algunos rayos se proyectan de nuevo al espacio o quedan absorbidos por la atmósfera.

Algunos rayos llegan a la Tierra.

Parte del calor rebota y vuelve a la Tierra.

Parte del calor se escapa al espacio.

¿SABÍAS QUE…?
Sin los gases invernadero, todo el calor regresaría al espacio y la temperatura media de la Tierra sería unos 35 grados más fría.

¿Qué es el calentamiento global?

El calentamiento global es el aumento de la temperatura media del mundo a causa del efecto invernadero, y el calor acumulado en la atmósfera provoca fenómenos como tormentas e inundaciones. El calor derrite el hielo de los polos y hace subir el nivel del mar. Las personas agravamos el problema quemando combustibles, porque no dejamos de enviar gases invernadero a la atmósfera.

33

EL TIEMPO Y EL CLIMA

¿Qué es el clima?

El clima es el tipo de tiempo que hace en una región. El mundo se divide en cinco grandes zonas climáticas. El clima tropical es cálido y húmedo; en las regiones secas llueve muy poco; las zonas templadas tienen inviernos fríos y veranos calurosos; el clima continental destaca por inviernos fríos y veranos suaves, y en los climas polares las temperaturas son gélidas todo el año.

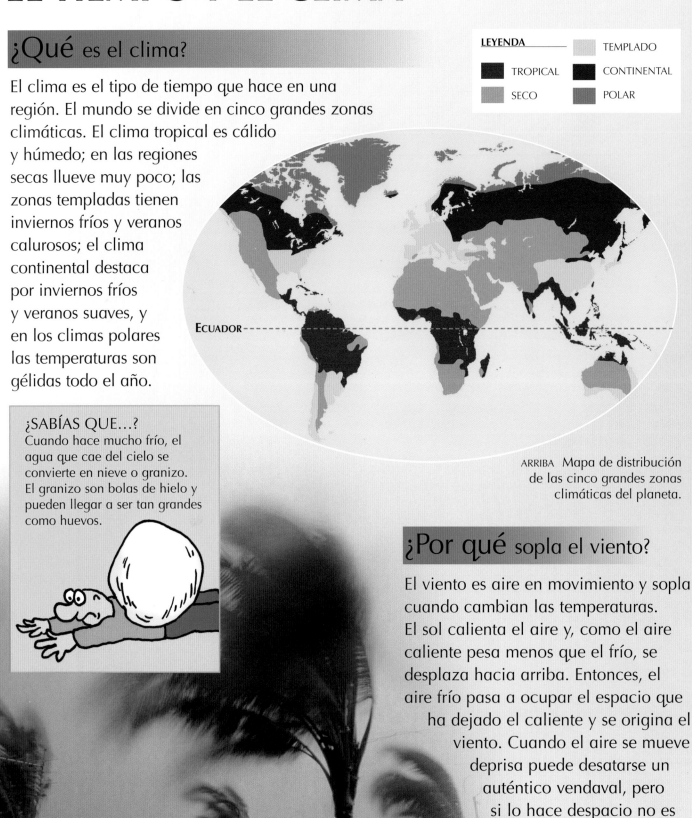

LEYENDA

- TEMPLADO
- TROPICAL
- CONTINENTAL
- SECO
- POLAR

ECUADOR

ARRIBA Mapa de distribución de las cinco grandes zonas climáticas del planeta.

¿SABÍAS QUE...?

Cuando hace mucho frío, el agua que cae del cielo se convierte en nieve o granizo. El granizo son bolas de hielo y pueden llegar a ser tan grandes como huevos.

¿Por qué sopla el viento?

El viento es aire en movimiento y sopla cuando cambian las temperaturas. El sol calienta el aire y, como el aire caliente pesa menos que el frío, se desplaza hacia arriba. Entonces, el aire frío pasa a ocupar el espacio que ha dejado el caliente y se origina el viento. Cuando el aire se mueve deprisa puede desatarse un auténtico vendaval, pero si lo hace despacio no es más que una suave brisa.

¿Cuándo llueve?

La lluvia es un estadio del ciclo del agua, es decir, de la circulación constante del agua entre la Tierra y el cielo. Cuando el sol calienta el agua superficial de mares y lagos, una parte se convierte en vapor y se queda en el aire. Al elevarse, el vapor se enfría y se condensa en gotas de agua, que se acumulan en nubes y vuelven a la Tierra en forma de lluvia. Entonces, el ciclo vuelve a empezar.

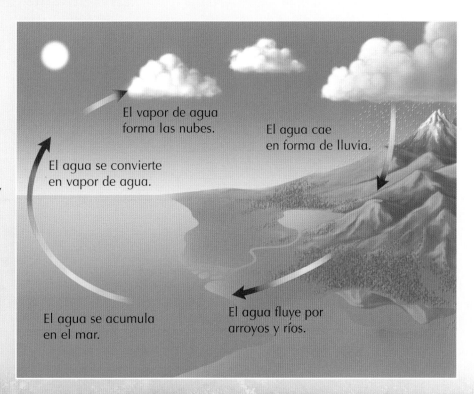

El agua se convierte en vapor de agua.

El vapor de agua forma las nubes.

El agua cae en forma de lluvia.

El agua se acumula en el mar.

El agua fluye por arroyos y ríos.

¿Cómo se pronostica el tiempo?

Los meteorólogos son científicos que estudian el tiempo y pueden predecirlo de varias formas. Con globos aerostáticos registran la temperatura y la humedad (cantidad de agua en el aire), y por fotografías tomadas desde el espacio saben en qué dirección se desplazan las borrascas. Las estaciones meteorológicas de todo el mundo comparten datos a través de ordenadores para mantenernos informados sobre el tiempo.

DINOSAURIOS Y VIDA PREHISTÓRICA

Unos 300 millones de años antes de la aparición del hombre, unos reptiles llamados dinosaurios dominaban el mundo. Entre ellos estaban los animales más grandes que jamás han pisado la Tierra. También había depredadores salvajes. Su reinado terminó hace unos 65 millones de años, probablemente cuando un meteorito cayó en la Tierra y provocó su extinción. Más adelante los mamíferos se convirtieron en la especie dominante, y evolucionaron hasta dar lugar a seres increíbles, entre los últimos de los cuales estamos nosotros.

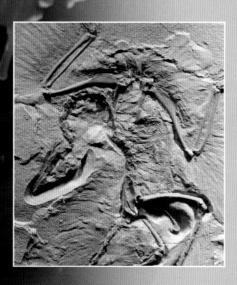

ESCRITO EN LA ROCA

¿Qué es un fósil?

Un fósil es el resto de una planta o un animal que vivió hace millones de años. Los fósiles nos ayudan a saber qué seres vivieron en la Tierra en la prehistoria, antes de la aparición de las personas o de que empezáramos a escribir. Sin ellos no sabríamos nada sobre seres vivos del pasado como los dinosaurios.

ARRIBA Algunos fósiles son insectos que quedaron atrapados en resina de árbol, que se solidificó y se convirtió en ámbar.

¿SABÍAS QUE...?
Se han encontrado fósiles de animales marinos en picos de montañas. El motivo es que hace millones de años el lecho marino subió y formó esas montañas. La erosión de la roca deja los fósiles al descubierto.

¿Cómo se forman los fósiles?

Los fósiles se forman de diferentes modos. Un animal, como un crustáceo, muere, se hunde hasta el fondo del mar y queda cubierto de un sedimento fangoso. Al cabo de millones de años, el sedimento se convierte en roca. En el proceso, el cuerpo del animal se ha desintegrado y reemplazado por sustancias minerales, lo que ha dado lugar a una piedra con la forma del animal, un molde fósil.

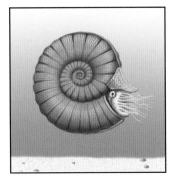

Hace millones de años murió un animal marino llamado amonites.

Se hundió hasta el fondo del mar, donde acabó cubierto de sedimentos.

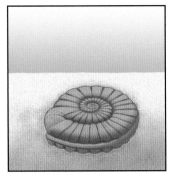

Al pudrirse el amonites, los minerales lo sustituyen.

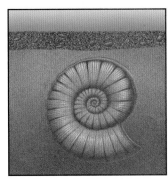

Los minerales se endurecen y forman un fósil.

¿Cuántos años tiene el fósil más antiguo?

Los fósiles más antiguos descubiertos tienen unos 3.500 millones de años y son también los más pequeños. Se trata de restos de bacterias, pequeños seres que formaban una especie de cieno en charcos y mares. Los fósiles sólidos más antiguos, como las conchas, tienen unos 545 millones de años.

ARRIBA Como la mayoría de los fósiles se formaron en el mar, muchos de ellos son de peces y otros seres marinos.

ABAJO Estas huellas fosilizadas son de un animal prehistórico que vivió hace millones de años.

¿Qué nos cuentan los fósiles?

Los fósiles nos pueden enseñar mucho sobre plantas y animales que vivieron milenios atrás. Así, juntando fósiles de huesos de dinosaurio, se ha averiguado cómo esos animales se desplazaban y cazaban. Gracias a los fósiles se puede saber cuándo murieron unos animales y cuándo aparecieron otros. Además, ayudan a entender cómo se pasó en la Tierra de unos cuantos seres microscópicos a la gran variedad actual.

NACIMIENTO DE LA VIDA

¿Cuándo empezó la vida en la Tierra?

La vida en la Tierra empezó hace unos 3.500 millones de años. Antes, hacía demasiado calor y era imposible. Cuando la Tierra se enfrió, los primeros seres fueron las bacterias, nacidas en manantiales submarinos o charcos embarrados cerca de volcanes (derecha). Crecieron gracias a los compuestos químicos presentes en el agua y poco a poco evolucionaron hacia formas de vida más complejas.

ARRIBA Los estromatolitos son capas de algas verdiazules y rocas. Esas algas fueron de los primeros seres vivos que se alimentaron mediante fotosíntesis.

¿Cómo se desarrollaron los seres vivos?

Muchos seres empezaron a desarrollarse hace unos 3.000 millones de años, cuando las primeras formas de vida lograron captar energía del sol y alimentarse de ella mediante fotosíntesis, proceso que libera oxígeno. A partir de entonces evolucionaron muchos otros seres gracias al oxígeno de la atmósfera, que les permitía respirar.

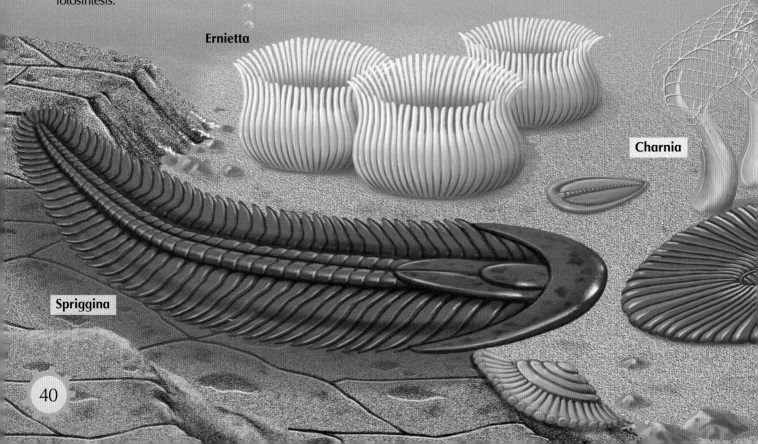

Ernietta

Charnia

Spriggina

¿Cómo eran los primeros animales?

Es probable que los primeros animales parecieran diminutos renacuajos. Vivían en los profundos mares que cubrían la Tierra hace unos 1.200 millones de años, respirando el nuevo oxígeno de la atmósfera. Poco a poco, esos animalillos se fueron agrupando y formaron las primeras esponjas.

¿SABÍAS QUE...?
Aunque la mayoría se han extinguido, es decir, han desaparecido, algunos de los primeros animales que vivieron aún existen, como la estrella de mar.

¿Dónde vivían los primeros animales?

Los primeros animales, como las esponjas, medusas y plumas de mar, vivían en el lecho marino y comían plantas y animales muertos del barro y el agua. Aún no tenían necesidad de desplazarse porque no había depredadores (cazadores).

Pteridinium

Medusas

Cyclomedusa

Parvancorina

Dickinsonia

Tribrachidium

ARRIBA Los primeros animales vivían en el lecho marino y no se desplazaban.

41

VIDA SUBMARINA

¿Cuándo vivieron los amonites?

Los amonites vivieron hace unos 400 millones de años y eran animales marinos con una dura concha en espiral. Se cree que iban flotando suavemente por en medio del agua y algunos eran tan grandes como ruedas de camioneta. Entonces, los mares estaban llenos de animales con conchas de varios tamaños y formas. Algunos incluso tenían dos.

DERECHA
Los amonites más grandes
podían alcanzar los 100 kg.

¿SABÍAS QUE…?
Los nautiloides eran los antepasados de los modernos calamares y pulpos. Echaban chorros de agua para impulsarse y perseguir a sus presas.

¿Qué eran los trilobites?

Los trilobites parecían cochinillas gigantes. Su cuerpo estaba dividido en tres partes y tenían caparazón. Hace unos 400 millones de años los mares estaban llenos de trilobites de todas las formas y tamaños, que buscaban comida en el lecho marino. Los cangrejos y las langostas son también animales segmentados que aparecieron por aquel entonces. Los trilobites se extinguieron hace unos 250 millones de años.

¿Qué animales son los llamados lirios de mar?

Estos animales parecen estrellas de mar con armadura y un largo tallo. Se desarrollaron hace unos 500 millones de años y aún existen. Les pusieron ese nombre porque mueven los tentáculos en el agua para cazar comida, y eso hace que parezcan flores. Los lirios de mar crecen en el lecho marino y pueden llegar a medir 20 metros.

¿Cómo se forma el coral?

Los arrecifes de coral están formados por pequeños seres llamados pólipos, parecidos a las anémonas. Los pólipos del coral viven en grandes grupos llamados colonias y para sustentar sus cuerpos forman entre todos esqueletos externos muy duros que, al amontonarse, van edificando los arrecifes. Ese medio se convierte luego en el hábitat de muchos seres marinos.

DERECHA Los trilobites estaban entre los muchos seres que vivían en los arrecifes de coral.

PECES PREHISTÓRICOS

¿Siempre han tenido mandíbulas los peces?

No, los primeros peces, que aparecieron hace 500 millones de años, no tenían. Sin mandíbulas para abrir y cerrar la boca, comían sorbiendo partículas del barro. También carecían de aletas, por lo que posiblemente nadaran como renacuajos, moviendo el cuerpo y la cola a derecha e izquierda para desplazarse por el agua. Los únicos peces sin mandíbula que existen hoy son los mixinos y las lampreas.

ARRIBA Los primeros peces no tenían mandíbulas y sólo podían sorber la comida.

¿Cuándo desarrollaron las mandíbulas los peces?

Hace unos 425 millones de años aparecieron peces con mandíbulas, que ya podían morder y desgarrar la comida. Los primeros fósiles de peces con mandíbulas que se descubrieron fueron los acantodios, pequeños pero agresivos y con aletas duras y espinosas. Se desplazaban por el agua gracias a las aletas de la cola. Además, tenían el cuerpo cubierto de escamas superpuestas, como los peces actuales.

¿Qué peces tenían capa protectora?

Algunos de los peces primitivos más pequeños tenían una armadura que les protegía el cuerpo. Esa especie de caparazón los protegía de depredadores como grandes medusas o escorpiones de mar gigantes. Por detrás, la cola flexible que movían hacia los lados para desplazarse quedaba al descubierto.

ABAJO Una armadura cubría el cuerpo de algunos peces pequeños.

ABAJO Se creía que el celacanto estaba extinguido, pero en África era un animal conocido.

¿Qué pez es un «fósil viviente»?

El celacanto recibe el apodo de «fósil viviente» porque es un pez prehistórico que aún habita en nuestros mares. Fue uno de los primeros peces con mandíbula más comunes. Durante mucho tiempo se creyó que se había extinguido hace 70 millones de años, pero en 1938 un pescador capturó uno vivo en el océano Índico.

BOSQUES E INSECTOS GIGANTES

ARRIBA Helecho fosilizado.

¿Cuándo crecieron las primeras plantas?

Las plantas empezaron a crecer en tierra firme hace 475 millones de años, en pantanos y en las orillas fangosas de ríos. Es posible que tuvieran una capa cerosa que evitara que el agua salada y el sol las secaran. Poco a poco desarrollaron raíces para llegar al agua del subsuelo y muy pronto se extendieron más allá de las orillas y empezaron a colorear la tierra.

¿Por qué eran tan grandes las plantas?

Las primeras plantas eran tan grandes debido al clima de entonces. En muchos lugares el aire era húmedo y vaporoso, como en las selvas tropicales de hoy. Al estar confinadas en poco espacio, las plantas no paraban de crecer, compitiendo por la luz. Las plantas de los primeros bosques incluían enormes colas de caballo, licopodios y helechos de hasta 50 metros de altura, como nueve jirafas una encima de otra...

DERECHA Un bosque gigante de hace unos 300 millones de años. Algunas plantas e insectos eran mucho más grandes que los actuales.

¿SABÍAS QUE...?
Con el paso de millones de años, los árboles y plantas gigantes de los pantanos se pudrieron y endurecieron, y se convirtieron en lo que conocemos como carbón.

Helecho

¿Cómo eran los primeros insectos?

Los primeros insectos fueron seguramente los colémbolos, del tamaño de una gamba grande. No tenían alas y se desplazaban por los pantanos gracias a sus pequeñas patas. Con las antenas, captaban los movimientos del aire, y así detectaban la presencia de depredadores. Tenían pinzas junto a la boca para comer plantas y residuos.

¿Cómo eran las primeras libélulas?

Las primeras libélulas tenían una envergadura de alas de hasta 1 metro. Sobrevolaban los charcos buscando con sus enormes ojos insectos para alimentarse. Los primeros insectos alados aparecieron hace 400 millones de años y podían desplazarse más lejos y buscar distintos alimentos. Pronto se desarrollaron otras especies de insectos, como cucarachas y saltamontes.

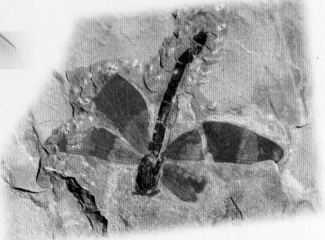

ARRIBA Libélula fosilizada.

Libélula

Cola de caballo gigante

Licopodio

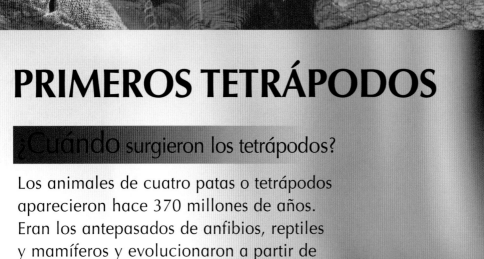

PRIMEROS TETRÁPODOS

¿Cuándo surgieron los tetrápodos?

Los animales de cuatro patas o tetrápodos aparecieron hace 370 millones de años. Eran los antepasados de anfibios, reptiles y mamíferos y evolucionaron a partir de unos peces que empezaron a andar con las aletas por las orillas de los ríos. Tal vez salieran del agua para cazar insectos o caracoles, y sus pequeñas aletas acabaron convirtiéndose en fuertes patas.

DERECHA El saltarín del fango es un pez moderno que se desplaza por agua y por tierra. Todos los animales de cuatro patas proceden de peces parecidos a este.

¿Cómo eran los primeros tetrápodos?

Los primeros animales de cuatro patas o tetrápodos medían entre 25 cm y 3 metros de longitud. El llamado *Cacops* medía 40 cm y tenía una larga cola y una gruesa protección de hueso en la espalda para defenderse de los ataques. *Diadectes* era un animal de 3 metros de largo que, pese a su aspecto feroz, usaba los dientes sólo para triturar plantas.

ABAJO *Pantylus*, uno de los primeros anfibios más pequeños, medía unos 25 cm de largo.

¿Qué tetrápodo tenía la cabeza triangular?

El tetrápodo antiguo de cabeza triangular se llamaba *Diplocaulus*. Hay científicos que creen que este animal tenía la cabeza de forma tan rara para que los depredadores no pudieran comérselo. Otros piensan que la desarrolló para poder sumergirse rápidamente en el agua al cazar insectos o peces.

ABAJO Un renacuajo nace con cola, pero pronto desarrolla patas para el momento de su paso a tierra firme.

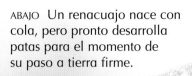

¿SABÍAS QUE...?
Otros grupos de anfibios, como los tritones o las salamandras, evolucionaron hace 200 millones de años y convivieron con los dinosaurios.

¿Dónde crían los anfibios?

Aunque de adultos viven en tierra, los anfibios vuelven al agua para criar. Así ocurría con los primeros tetrápodos y sigue pasando con los anfibios actuales, como las ranas o los sapos. Las primeras ranas aparecieron hace 200 millones de años y ponían huevos con una cáscara muy fina bajo el agua. Los renacuajos que nacían tenían branquias para respirar y aletas para nadar. Igual que los renacuajos de hoy, después desarrollaban pulmones y patas para vivir en tierra firme.

LA ERA DE LOS REPTILES

¿Cuál fue el primer reptil?

Se cree que el primer reptil fue *Hylonomus,* que vivió hace 315 millones de años. Medía 20 cm de largo y parecía un lagarto. Este animal evolucionó a partir de unos tetrápodos con aspecto de anfibio que ponían los huevos en tierra firme. Dentro del huevo, las crías se alimentaban de la yema, que les daba más fuerza y opciones de sobrevivir. Pronto los reptiles se convirtieron en los animales dominantes.

DERECHA Con sus afilados dientes, *Hylonomus* cazaba y engullía milípedos e insectos.

¿Qué reptiles tenían el cuerpo acorazado?

Los reptiles conocidos como pareiasaurios tenían el cuerpo cubierto por un caparazón y vivieron hace 260 millones de años. Un tipo de pareiasaurio era *Scutosaurus,* que significa «lagarto con escudo». Aunque podía alcanzar los 3 metros de largo y era grande y fuerte, sólo comía plantas. Algunas de las primeras tortugas, que aparecieron 50 millones de años después, eran tan grandes como *Scutosaurus.*

ABAJO Esta tortuga primitiva tenía un grueso caparazón.

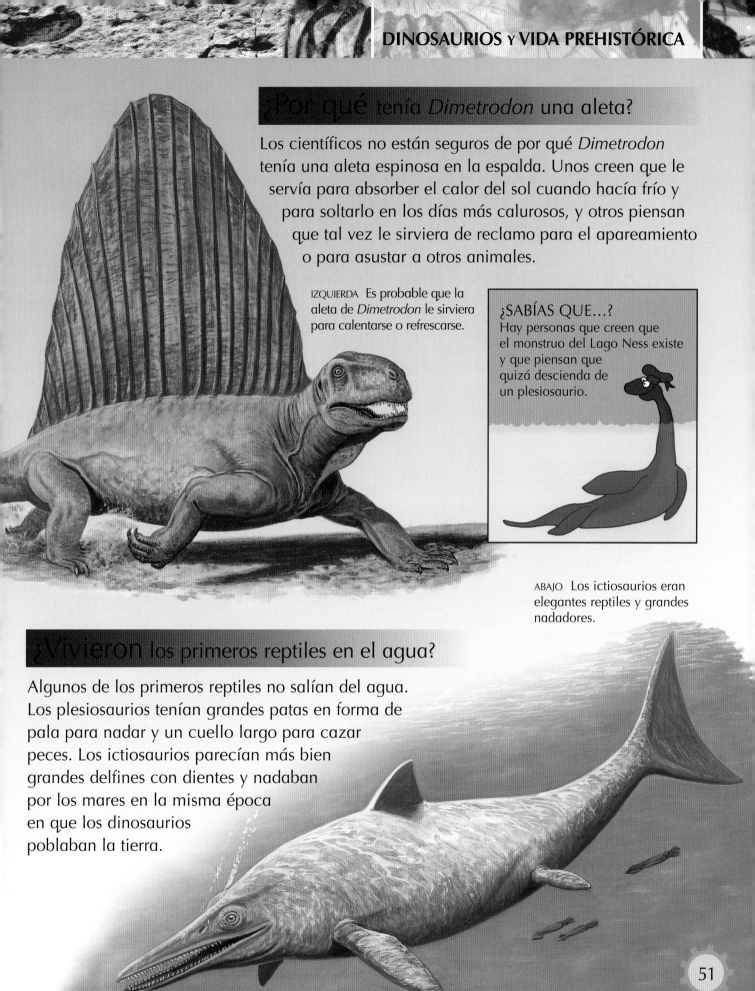

¿Por qué tenía *Dimetrodon* una aleta?

Los científicos no están seguros de por qué *Dimetrodon* tenía una aleta espinosa en la espalda. Unos creen que le servía para absorber el calor del sol cuando hacía frío y para soltarlo en los días más calurosos, y otros piensan que tal vez le sirviera de reclamo para el apareamiento o para asustar a otros animales.

IZQUIERDA Es probable que la aleta de *Dimetrodon* le sirviera para calentarse o refrescarse.

¿SABÍAS QUE...?
Hay personas que creen que el monstruo del Lago Ness existe y que piensan que quizá descienda de un plesiosaurio.

ABAJO Los ictiosaurios eran elegantes reptiles y grandes nadadores.

¿Vivieron los primeros reptiles en el agua?

Algunos de los primeros reptiles no salían del agua. Los plesiosaurios tenían grandes patas en forma de pala para nadar y un cuello largo para cazar peces. Los ictiosaurios parecían más bien grandes delfines con dientes y nadaban por los mares en la misma época en que los dinosaurios poblaban la tierra.

51

LA LLEGADA DE LOS DINOSAURIOS

¿Cuándo aparecieron los dinosaurios?

Los primeros dinosaurios evolucionaron a partir de otros reptiles hace 230 millones de años. Entonces, el mundo era muy diferente: no había ni pájaros ni mamíferos y, aunque había helechos y árboles, no existían la hierba ni las flores y había vastas regiones desérticas. Los dinosaurios dominaron el mundo durante 150 millones de años.

¿SABÍAS QUE...?
Los científicos nunca sabrán de qué color eran los dinosaurios o si tenían pelo.

Braquiosaurio

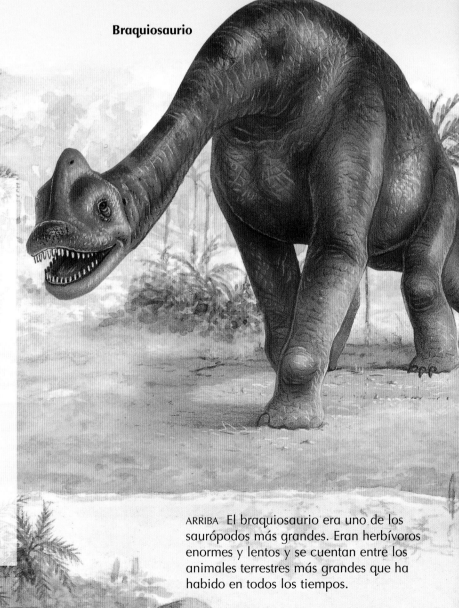

¿Por qué eran tan grandes los dinosaurios?

No existe una respuesta científica exacta. Puede que los dinosaurios se convirtieran en animales más grandes, fuertes y rápidos para competir entre ellos por la comida. Los saurópodos eran, con diferencia, los más grandes, con largos cuellos con los que alcanzaban las copas de los árboles. Los carnívoros debieron de crecer para poder cazarlos.

ARRIBA El braquiosaurio era uno de los saurópodos más grandes. Eran herbívoros enormes y lentos y se cuentan entre los animales terrestres más grandes que ha habido en todos los tiempos.

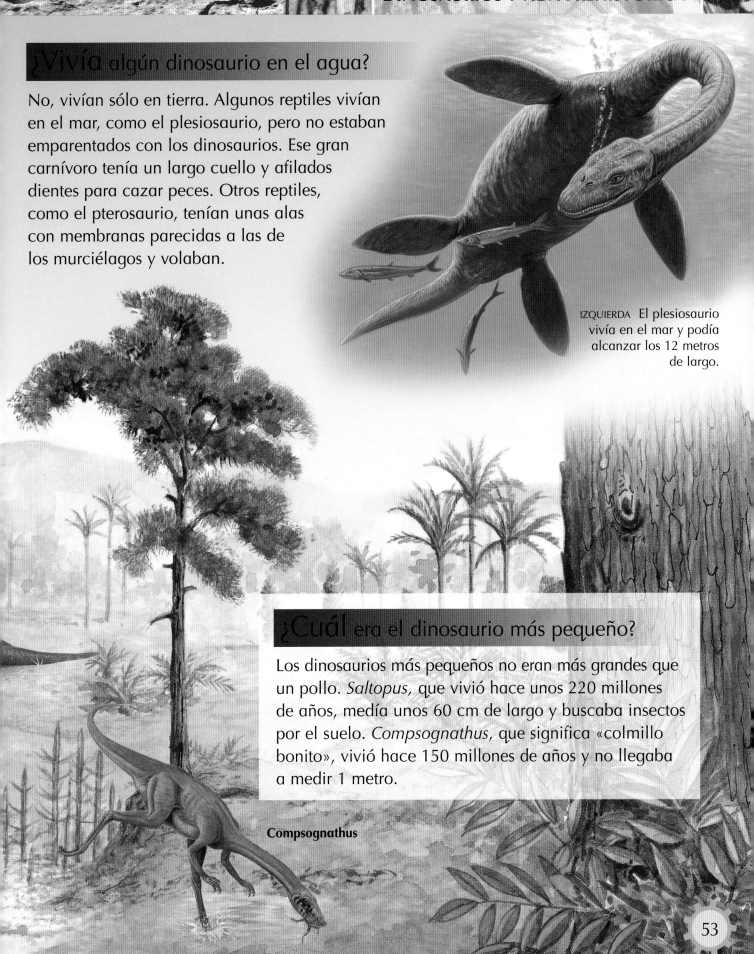

¿Vivía algún dinosaurio en el agua?

No, vivían sólo en tierra. Algunos reptiles vivían en el mar, como el plesiosaurio, pero no estaban emparentados con los dinosaurios. Ese gran carnívoro tenía un largo cuello y afilados dientes para cazar peces. Otros reptiles, como el pterosaurio, tenían unas alas con membranas parecidas a las de los murciélagos y volaban.

IZQUIERDA El plesiosaurio vivía en el mar y podía alcanzar los 12 metros de largo.

¿Cuál era el dinosaurio más pequeño?

Los dinosaurios más pequeños no eran más grandes que un pollo. *Saltopus,* que vivió hace unos 220 millones de años, medía unos 60 cm de largo y buscaba insectos por el suelo. *Compsognathus*, que significa «colmillo bonito», vivió hace 150 millones de años y no llegaba a medir 1 metro.

Compsognathus

LA LEY DE LOS DINOSAURIOS

¿Qué dinosaurio andaba como un pato?

Es posible que el enorme megalosaurio anduviera como un pato, moviendo la cola a uno y otro lado al avanzar. El megalosaurio vivió en el período jurásico, cuando los dinosaurios dominaban la Tierra, y tenía afiladas garras y dientes para desgarrar la carne de sus presas.

IZQUIERDA El megalosaurio tenía unos dientes afilados para desgarrar la carne.

¿Por qué tenía placas protectoras el estegosaurio?

Las hileras de placas del estegosaurio seguramente hacían que pareciera más grande, lo que ahuyentaba a los depredadores. Según algunos científicos, le servían además para rivalizar con otros estegosaurios. Otro grupo de dinosaurios, los anquilosaurios, también tenían armadura protectora, incluso sobre los párpados.

DERECHA El estegosaurio se defendía con la cola, y con la boca en forma de pico arrancaba y comía plantas.

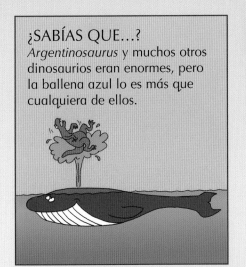

¿SABÍAS QUE...?
Argentinosaurus y muchos otros dinosaurios eran enormes, pero la ballena azul lo es más que cualquiera de ellos.

¿Qué velocidad alcanzaban los dinosaurios?

Algunos podían correr a 60 km/h, como *Gallimimus*, un dinosaurio con aspecto de avestruz que seguramente vivía en grupo. Tenía la cabeza pequeña y una boca sin dientes en forma de pico. Comía insectos, pequeños animales y huevos. Las largas patas y la cola le ayudaban a mantener el equilibrio al dar giros bruscos y rápidos.

¿Cazaban los dinosaurios en grupo?

Sí, es posible que algunos cazaran en grupo y se repartieran el trabajo para atrapar y reducir a otros más grandes. El gigantosaurio fue uno de los dinosaurios carnívoros más grandes y, aunque podía cazar solo, para atrapar a un *Argentinosaurus* adulto, tal vez el dinosaurio más grande, en cuanto a longitud, que ha existido, hacía falta un grupo de seis o más.

ARRIBA *Gallimimus* medía hasta 5 metros de largo y 4 de alto.

ABAJO *Argentinosaurus* llegó a medir más de 30 m, pero aun así era presa del gigantosaurio.

LOS ÚLTIMOS DINOSAURIOS

¿Qué dinosaurio tenía las garras más grandes?

Therizinosaurus era el dinosaurio de garras más grandes. Tenía tres en cada pata, arqueadas y de hasta 1 metro de largo. Era un animal herbívoro y las garras le debían de servir para romper las ramas de árboles altos y comerse la corteza y las hojas.

ABAJO Las enormes garras de *Therizinosaurus* le permitían llegar a las ramas más altas.

¿SABÍAS QUE…?
Uno de los últimos dinosaurios más comunes fue *Hadrosaurus*. Tenía un pico sin dientes parecido al de los patos y por eso se lo conoce como dinosaurio de pico de pato.

DERECHA Los dientes del tiranosaurio podían medir hasta 30 cm.

¿Cuántos dientes tenía el tiranosaurio rex?

El tiranosaurio rex tenía en la boca, de alrededor de 1 metro de largo, más de 60 grandes dientes en forma de cono. Unos eran afilados como cuchillos y le servían para cortar la carne. Otros estaban pensados para romper huesos y comer la médula de su interior. Aunque se suele presentar al tiranosaurio rex como un cazador feroz y despiadado, es posible que también comiera carroña, es decir, animales muertos.

¿Cómo usaba los cuernos *Triceratops*?

Es posible que le sirvieran para protegerse. Ante un ataque, *Triceratops* permanecía quieto, y se los clavaba al depredador. Este animal medía unos 10 metros y era uno de los grandes herbívoros. Es posible que incluso se enfrentara al feroz tiranosaurio rex. Se cree que el collar de hueso de alrededor de su cuello permitía a los diferentes *Triceratops* reconocerse por manadas.

ABAJO *Triceratops* se defendía con los cuernos.

¿Por qué desaparecieron los dinosaurios?

Varias teorías tratan de explicar por qué se extinguieron los dinosaurios hace unos 65 millones de años. Según la principal de ellas, un asteroide gigante chocó contra la Tierra y el impacto generó nubes de polvo, fuego, tsunamis (olas gigantes) y erupciones volcánicas que provocaron un gran cambio en el clima del planeta. Un frío glacial se adueñó del mundo y los dinosaurios no lograron sobrevivir en esas condiciones.

ABAJO Los científicos creen que un asteroide impactó en la Tierra y mató a muchos dinosaurios. El resto murieron porque cambió el clima.

57

LOS PRIMEROS PÁJAROS

¿Cómo aparecieron los pájaros?

Los científicos creen que los pájaros evolucionaron a partir de los dinosaurios, teoría que quedó demostrada para muchos cuando se descubrieron restos fosilizados de dinosaurios con plumas. Esos fósiles eran de dromaeosaurio, que no podía volar pero tenía pelusa en el cuerpo y unos brazos cortos cubiertos de plumas.

¿SABÍAS QUE...?
Hesperornis tenía unas patas membranosas y pequeñas alas para nadar y bucear, y también muchos dientes afilados para atrapar peces y amonites.

IZQUIERDA Los fósiles muestran que las patas anteriores de los dromaeosaurios se articulaban como las alas de los pájaros.

¿Cuál es el primer pájaro conocido?

Archaeopteryx es el primer pájaro conocido del planeta. Vivió hace unos 150 millones de años y era carnívoro, del tamaño de un cuervo. Seguramente volaba distancias cortas. Tenía plumas, como un pájaro, pero también dientes y garras afiladas, como un dinosaurio.

DERECHA Fósil de *Archaeopteryx*.

¿Cuál era el pájaro más grande?

El pájaro prehistórico más grande era *Aepyornis*, también llamado pájaro elefante. Medía 3 metros de alto y pesaba unos 450 kilos. También ponía los huevos más grandes que se hayan visto, de casi 1 metro. Otro pájaro que tampoco podía volar era *Dinornis*, de casi 4 metros, el más alto de todos los tiempos. Las dos especies tenían las patas fuertes, el cuello largo y el cuerpo robusto.

ABAJO *Aepyornis* parecía un avestruz.

¿Qué pájaro daba más miedo?

El pájaro más temible era *Teratornis*, un ser prehistórico parecido a un cóndor enorme. Tenía una envergadura de alas de entre 5 y 7 metros y volaba en busca de animales muertos para comer. Sus restos se han encontrado en fosos de alquitrán de California, donde seguramente el ave quedó atrapada cuando iba en busca de comida.

DERECHA Como los buitres actuales, *Teratornis* comía animales muertos o moribundos.

LA APARICIÓN DE LOS MAMÍFEROS

¿Cuándo aparecieron los mamíferos?

Los primeros mamíferos surgieron hace unos 200 millones de años. En la era de los dinosaurios, los mamíferos eran pequeños seres peludos parecidos a las ratas actuales y comían insectos. Salían por la noche y probablemente vivían en madrigueras bajo tierra para esconderse de los dinosaurios. A partir la extinción de estos últimos se fueron desarrollando nuevas especies de mamíferos.

ABAJO Se cree que el primer mamífero fue *Megazostrodon*, que parecía una rata.

¿Ponían huevos los primeros mamíferos?

Algunos de ellos sí, a diferencia de la mayoría de los actuales, que son vivíparos. Los mamíferos evolucionaron a partir de unos reptiles con aspecto de mamífero que tenían pelo pero ponían huevos. Algunos mamíferos prehistóricos, como el canguro gigante, eran marsupiales. Los marsupiales dan a luz a unas crías muy pequeñas que terminan de desarrollarse en una bolsa en el cuerpo de su madre.

DERECHA El ornitorrinco actual pone huevos, como los primeros mamíferos.

¿Cuál fue el mayor mamífero carnívoro?

El feroz *Andrewsarchus* fue el mamífero carnívoro más grande de todos los tiempos. Medía casi 2 metros de alto y 5 de largo. Era un animal similar a un perro, con unas garras largas y fuertes. Tenía los dientes muy duros, para morder huesos y caparazones de tortuga, y seguramente buscaba comida por las orillas de los ríos.

ABAJO *Andrewsarchus* era un mamífero similar a un perro.

¿SABÍAS QUE...?

Hay científicos que creen que el aumento del nivel de oxígeno en la Tierra hace 50 millones de años explica por qué aparecieron mamíferos más grandes, como los felinos dientes de sable.

ABAJO El gliptodonte tenía un gran caparazón y podía alcanzar los 3 metros de largo.

¿Todos los mamíferos tienen dientes?

No, la mayoría tienen dientes pero hay un pequeño grupo, los desdentados, que tiene pocos o ninguno. El grupo incluye a armadillos, perezosos y osos hormigueros, y el enorme gliptodonte, extinguido hace 10.000 años, también era uno de ellos. El gliptodonte no tenía dientes en la parte de delante, pero sí unas extrañas muelas redondas en la parte trasera para triturar las plantas. Era tan grande como un coche.

LA MEGAFAUNA

¿Qué es la megafauna?

La megafauna estaba formada por herbívoros prehistóricos que alcanzaron dimensiones enormes. Hace unos 130 millones de años apareció en la Tierra toda una nueva gama de plantas y árboles, vegetación que se expandió por muchas zonas y sirvió de alimento a diferentes herbívoros, como el rinoceronte gigante y *Megaloceros,* cuyo nombre significa «cuerno gigante».

DERECHA *Megaloceros* tenía unos cuernos tan grandes que se cree que fueron los causantes de su desaparición. Crecieron tanto que el animal no podía sostener su peso.

IZQUIERDA *Phoberomys pattersoni* era tan grande y lento que sus predadores podían cazarlo fácilmente, de modo que se extinguió.

¿Existieron los cobayas gigantes?

Sí, hace unos ocho millones de años un cobaya gigante llamado *Phoberomys pattersoni* vivía a orillas de los ríos y comía hierba. Por desgracia, se extinguió, al parecer por su enorme tamaño: al ser tan grande como una vaca, no andaba lo bastante deprisa como para escapar de cazadores hábiles y rápidos como el cocodrilo gigante, los grandes felinos y los enormes pájaros carnívoros.

¿Cómo eran los rinocerontes prehistóricos?

ABAJO El rinoceronte lanudo tenía dos enormes cuernos para protegerse.

Algunos rinocerontes prehistóricos eran diferentes de los actuales porque tenían pelo. El rinoceronte lanudo apareció hace unos 350.000 años y puede que sobreviviera hasta hace sólo 10.000 años. Este herbívoro medía unos 4 metros de largo, y las pinturas prehistóricas halladas en cavernas muestran cómo los primeros humanos lo cazaban.

¿SABÍAS QUE...?
El número de plantas e insectos creció casi a la vez porque las flores necesitan a los insectos para reproducirse (mediante la polinización) y los insectos necesitan las plantas para alimentarse.

¿Por qué tenían pelo los mamuts?

Los mamuts tenían una capa de pelo que conservaba su calor corporal. Hace unos 30.000 años se produjo una glaciación, y para sobrevivir en esas condiciones a muchos animales, como los mamuts y los tigres dientes de sable, les creció el pelo. Se han encontrado restos de mamuts lanudos congelados en regiones de Siberia.

DERECHA Los mamuts lanudos engordaban en verano y en invierno vivían de la grasa acumulada.

DEL SIMIO AL HOMBRE

¿Qué son los primates?

Los primates son un grupo de mamíferos que incluye los simios, los monos y los humanos. Los primeros primates vivieron hace unos 50 millones de años, pero parecían más bien ardillas. Con el tiempo, fueron evolucionando, y hace entre 20 y 10 millones de años, en África, los simios gigantes eran habituales.

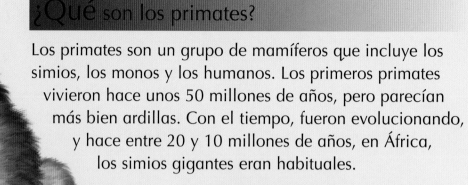

IZQUIERDA Simio gigante asiático llamado *Gigantopithecus*.

IZQUIERDA El hombre de Neandertal era de complexión fuerte y medía alrededor de 1,60 metros.

¿Quién era el hombre de Neandertal?

El hombre de Neanderthal fue una especie humana que vivió en Europa y Asia hace entre 300.000 y 30.000 años, momento en que se extinguió. También hubo otras especies, pero todas desaparecieron. Una de ellas era *Homo Erectus*, posiblemente nuestro primer antepasado humano. Apareció hace unos dos millones de años y se extinguió hace 100.000 años.

¿Cómo se vivía en la prehistoria?

Los primeros humanos dependían de las plantas y los animales para comer. Cazaban animales con palos afilados o golpeándoles desde la copa de los árboles. Su capacidad de fabricar y manipular herramientas y de trabajar en grupo fue la clave de su supervivencia, que incluso provocó la extinción de varios animales prehistóricos.

ABAJO Los humanos empezaron a cultivar alimentos y criar animales, como cabras, hace 10.000 años.

¿SABÍAS QUE…?
Se han encontrado en turberas cuerpos de humanos de hasta 2.300 años de antigüedad perfectamente conservados. Esos restos nos ayudan a entender cómo vivían.

¿Por qué se empezó a cultivar la tierra?

Es probable que los humanos prehistóricos empezaran a cultivar la tierra para no tener que desplazarse para cazar o recoger bayas o fruta. Al establecerse en un lugar fijo, se fueron desarrollando los primeros pueblos y ciudades. Hace unos 5.000 años empezaron a leer y escribir, y así acabó la prehistoria: las personas comenzaron a escribir su propia historia.

PLANTAS Y ANIMALES

En nuestro planeta viven millones de especies de plantas y animales, repartidas por todos los rincones. La variedad comprende desde organismos microscópicos, imposibles de ver a simple vista, hasta las enormes ballenas y los árboles gigantes. Todos estos seres vivos han hallado la forma de sobrevivir en su hábitat, ya sea en la oscuridad del océano, en el extremo calor del desierto o en las frías cimas de las montañas.

TIPOS DE SERES VIVOS

¿Qué es un ser vivo?

Se consideran seres vivos los que pueden hacer determinadas cosas, como reproducirse, es decir, crear otros seres. Además, a lo largo de su vida crecen y se transforman, y extraen la energía de los alimentos para vivir. También se mueven de una forma u otra y perciben el mundo que los rodea.

ARRIBA Estas gacelas son seres vivos porque crecen, comen, se mueven y se reproducen.

ABAJO Los girasoles producen semillas en el centro de la flor. Los helechos echan esporas en las hojas.

Helecho

¿Todas las plantas dan flor?

No, aunque la mayoría sí. Las plantas de flor, como los girasoles y los robles, se reproducen a partir de las semillas de sus flores. Las plantas sin flor lo hacen de otras formas. Por ejemplo, los pinos y otras coníferas producen las semillas en piñas. Los helechos, el musgo y las algas producen unos granos minúsculos llamados esporas, y sólo pueden generar nuevas plantas en lugares húmedos.

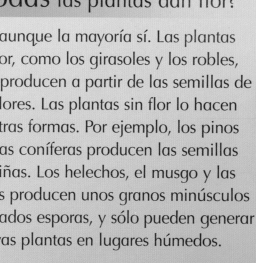

Girasol

¿Cuántos animales distintos existen?

Conocemos más de un millón de especies de animales. Los biólogos los clasifican y agrupan en función de sus similitudes para que resulte más fácil identificarlos y entenderlos. Los animales se dividen en dos grandes grupos: vertebrados, con columna, e invertebrados, sin. Ejemplos de vertebrados son los humanos y las serpientes, y los invertebrados incluyen los insectos y los gusanos.

¿SABÍAS QUE...?
Las semillas del coco de mar son las más grandes del mundo. Pueden llegar a pesar 42 kilos, igual que un perro grande.

ABAJO El mono aullador es un vertebrado.

La rana es un anfibio.

¿Cuántas clases de vertebrados hay?

Los vertebrados se clasifican en cinco grupos: peces, reptiles, anfibios, pájaros y mamíferos. Peces y reptiles tienen la piel escamosa, pero los peces viven en el agua y los reptiles, en tierra. La piel de los anfibios es lisa y, aunque los adultos viven en tierra, las crías lo hacen en el agua. Los pájaros tienen plumas y sus polluelos salen de huevos. Los mamíferos suelen tener pelo y alimentan a las crías con leche.

El chimpancé es un mamífero.

El águila es un pájaro.

La serpiente es un reptil.

El cíclido es un pez.

ALIMENTO Y VIDA

¿Cómo se reproducen las flores?

Las plantas de flor necesitan a las abejas y otros insectos para reproducirse. Las abejas van de flor en flor para absorber su dulce néctar. Cuando se posan en una, el polen se les pega a las patas, y cuando luego van a otra, dejan ahí parte de ese polen. Entonces la flor lo usa para fabricar semillas, que darán lugar a otras plantas. Muchas de las plantas y animales que viven en un mismo sitio se necesitan para sobrevivir.

¿SABÍAS QUE...?
El depredador, o cazador, más grande de todos los tiempos fue un tiburón. A partir de los dientes fosilizados encontrados, se calcula que debía de pesar como siete elefantes juntos.

¿Cómo se alimentan las plantas?

Las plantas producen su propio alimento en las hojas, en un proceso llamado fotosíntesis. Para ello necesitan agua, que absorben por las raíces, y dióxido de carbono, un gas presente en el aire. Las hojas absorben la luz del sol, y con esa energía convierten los ingredientes en comida. Las plantas almacenan esa sustancia dulce en su interior hasta que la necesitan.

¿Todos los animales comen carne?

No, hay animales que sólo comen carne pero otros sólo comen plantas, y algunos las dos cosas. Los animales que sólo comen carne, como los tiburones y los felinos, se llaman carnívoros. La mayoría tienen dientes afilados o garras para cazar. Los animales que sólo comen plantas, como las vacas, son herbívoros, y los que comen de todo, como los humanos, son omnívoros.

ABAJO El tiburón es uno de los cazadores más temibles del océano. Sus agudos sentidos le ayudan a encontrar a sus presas.

¿Qué es una cadena alimentaria?

La cadena alimentaria de un lugar concreto indica cómo se alimentan allí los seres vivos. La cadena empieza siempre con una planta, que produce su comida. Luego viene el animal que se come esa planta. Le sigue otro animal, el depredador, que se come al animal que ha se ha comido la planta. El último animal de la cadena no es alimento de ningún otro.

ABAJO En esta cadena alimentaria, los leones se comen a las cebras, que a su vez comen hierba.

HÁBITATS DEL MUNDO

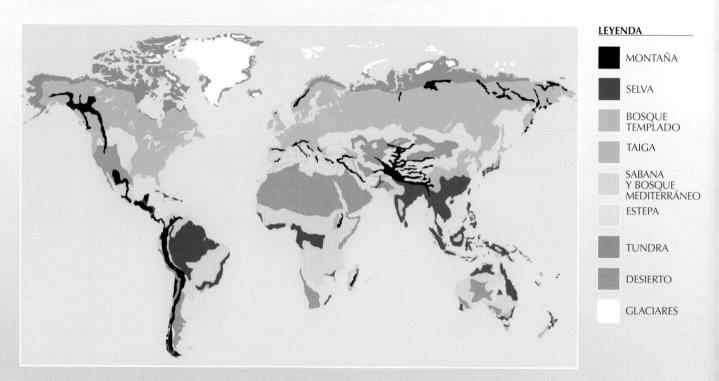

LEYENDA

- MONTAÑA
- SELVA
- BOSQUE TEMPLADO
- TAIGA
- SABANA Y BOSQUE MEDITERRÁNEO
- ESTEPA
- TUNDRA
- DESIERTO
- GLACIARES

Abajo Los arrecifes de coral son un tipo de hábitat marino.

¿Qué es un hábitat?

Un hábitat es un lugar donde viven plantas y animales. En nuestro planeta hay muchas clases distintas de hábitats. Las diferencias se deben a la climatología y la temperatura. Por ejemplo, en las montañas sopla el viento y hace mucho frío, mientras que en el desierto el tiempo es seco y caluroso. El mapa presenta los principales hábitats terrestres: montañas, selva, bosque templado, taiga, sabana y bosque mediterráneo, estepa, tundra y desiertos. Otros hábitats, que no aparecen ahí, son los océanos, lagos, ríos y costas.

¿Cuál es el hábitat más extenso del planeta?

Los océanos son el hábitat más extenso del planeta, ya que cubren tres cuartas partes de la superficie de la Tierra y están llenos de vida. Hay animales y plantas que viven en las aguas poco profundas de la costa, mientras que otros habitan en mar abierto, a kilómetros de tierra firme. Unos cuantos viven a gran profundidad, en aguas frías y oscuras.

¿Cuáles son los hábitats más fríos de la Tierra?

El Ártico y el Antártico. Allí, las capas de hielo y nieve conocidas como casquetes polares nunca se funden. Muy pocos seres vivos sobreviven con ese frío. Al sur del casquete polar Ártico está la tundra, donde el hielo se funde cada año pero el suelo permanece helado.

¿SABÍAS QUE...?
El drago es un árbol que sólo crece en unas cuantas islas de alrededor de África, como las Canarias. Como su savia es roja, en algunos idiomas lo llaman árbol de sangre de dragón.

ARRIBA En verano se funde el hielo de la tundra y crecen plantas, algunas de ellas con flor, como amapolas y brezo.

DERECHA El gibón tiene largos brazos para saltar de un árbol a otro.

¿Cómo sobreviven los animales?

Los animales se amoldan a las características de su hábitat. Por ejemplo, las focas tienen una densa capa de grasa que les permite sobrevivir en las aguas heladas, y algunos monos tienen una cola muy larga para agarrarse a las ramas. Unos animales viven sólo en un hábitat, como el calamar, que sólo se encuentra en el mar, y otros en dos o más, como el ratón, que puede estar en campos, bosques e incluso casas.

LA VIDA EN LA SABANA

¿Por qué viven en manadas los animales de la sabana?

Algunos animales de la sabana forman manadas para protegerse. En la sabana hay inmensos espacios abiertos con pocos árboles y arbustos entre los que guarecerse. Yendo en manada, la mayoría de los animales pueden pastar mientras el resto vigilan. Entre los animales de sabana que se reúnen en manadas están los elefantes, las cebras y los canguros.

¿Cuánto mide el cuello de una jirafa?

El cuello de una jirafa suele medir unos 3 metros, más que muchas tablas de surf. Ese cuello tan largo les sirve para llegar a las hojas de los árboles altos. Esa adaptación, o rasgo especial, da a las jirafas una ventaja frente a otros animales de cuello más corto. En la sabana les resulta vital, puesto que muchos animales compiten por comerse las plantas.

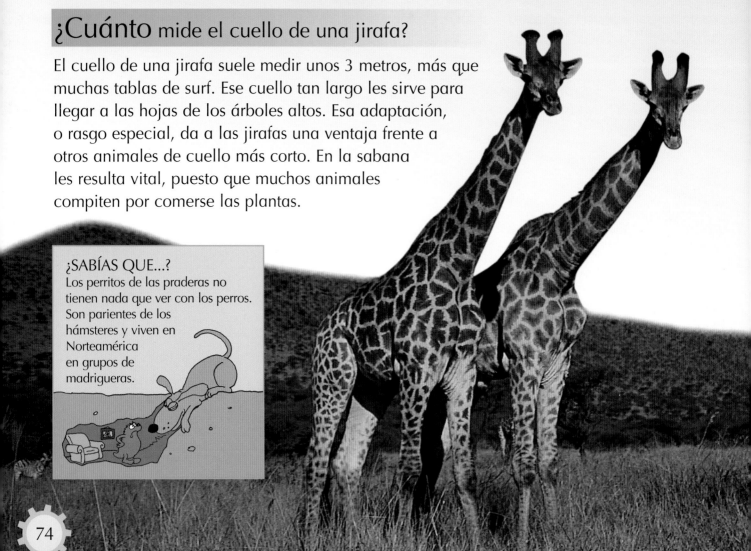

¿SABÍAS QUE...?
Los perritos de las praderas no tienen nada que ver con los perros. Son parientes de los hámsteres y viven en Norteamérica en grupos de madrigueras.

¿Cuál es el animal terrestre más rápido?

El animal terrestre más rápido es el guepardo: puede correr 100 metros en poco más de 3 segundos y aprovecha su velocidad para cazar presas rápidas, como antílopes. En cambio, otros depredadores, como los leones, se acercan sigilosamente a las manadas de ñus y cebras y luego trabajan en equipo para rodear y atrapar a la presa. Al final, comparten el botín.

¿Qué es un termitero?

Un termitero es un nido construido por unos insectos, las termitas, parecidos a las hormigas y que viven en las sabanas de África y Australia. Los termiteros están hechos de barro y se secan con el calor. Pueden alcanzar los 7 metros de altura y son el hogar de millones de termitas, que dentro están frescas gracias al aire que circula por los conductos.

IZQUIERDA Termitero en Australia. No todas las termitas construyen estos montículos. Pueden vivir en árboles o bajo tierra.

SOBREVIVIR EN EL DESIERTO

¿Por qué no tienen hojas los cactus?

Cuando no llueve, las plantas pierden agua por las hojas. Los cactus viven en desiertos, y al no tener hojas pueden acumular más agua. Los cactus tienen unos tallos gruesos y verdes, que se hinchan cuando las raíces chupan el agua de las cortas tormentas. También tienen pinchos, para evitar que los animales los muerdan y les roben la valiosa agua que retienen.

¿Qué animal es el diablo espinoso?

El diablo espinoso es un reptil que vive en el desierto. Tiene la espalda recubierta de aguijones que desalientan a los depredadores. Además, consigue el agua de una forma poco común: cuando se acumula agua de lluvia o rocío en su espalda, le fluye por surcos hasta las comisuras de la boca y se la bebe.

IZQUIERDA Los aguijones del diablo espinoso lo protegen de los depredadores. Puede llegar a comerse 3.000 hormigas al día.

¿Por qué tienen las orejas tan grandes los zorros del desierto?

Como muchos animales del desierto, los zorros evitan el sol porque quema demasiado. Son nocturnos, es decir, cazan de noche y duermen de día. Con sus grandes orejas, los zorros del desierto detectan a sus presas en la oscuridad. Su grueso pelaje los protege en las frías noches del desierto.

DERECHA El zorro del desierto tiene un oído muy fino, capaz de detectar escarabajos y escorpiones andando por la arena.

¿SABÍAS QUE...?
Los camellos tienen unas pestañas que pueden superar los 10 cm y que evitan que les entre en los ojos la arena del desierto cuando hay tormenta.

¿Qué llevan los camellos en la joroba?

En las jorobas, camellos y dromedarios acumulan grasa para cuando les falta alimento. De esa grasa obtienen la energía necesaria. Cuando ya no queda, la joroba se deshincha hasta que vuelven a comer. Los camellos sobreviven mucho tiempo sin agua, pero después pueden llegar a beberse en 10 minutos el agua que cabe en una bañera.

EN LA SELVA

ABAJO Los árboles de la selva necesitan unas raíces enormes que aguanten su largo tronco. La parte superior de la selva se llama cubierta de copas.

¿Por qué son tan altos los árboles de la selva?

Los árboles de la selva son tan altos porque siguen creciendo hasta que les da el sol en la copa. Gracias al calor y la humedad, los árboles de las regiones selváticas ganan altura muy deprisa. Algunos, como la teca, pueden medir 50 metros o ser tan altos como un faro. Estos árboles producen una gran variedad de frutos, de los que se alimentan muchos animales.

Una rana voladora

¿Pueden vivir las ranas en los árboles?

Sí, en los árboles de la selva viven muchos tipos de ranas, que comen insectos y ponen los huevos en los diminutos depósitos de agua que se forman en las hojas. Una de estas ranas de la selva, la rana voladora, se desplaza de un árbol a otro volando: extiende los pliegues de piel de las patas a modo de minúsculos paracaídas. Otra, la rana de flecha venenosa, tiene la piel brillante y de colores para advertir a los depredadores que más vale que no se la coman.

¿Crece alguna planta en un animal?

Sí, el pelaje de un animal llamado perezoso tiene un aspecto verdoso porque en él crecen unas algas diminutas. Los perezosos viven en las selvas de Sudamérica y el color les ayuda a camuflarse entre las hojas. Estos animales trepan muy despacio por las ramas con sus grandes y afiladas garras. Comen hojas y fruta y una vez por semana bajan al suelo para ir al baño.

¿SABÍAS QUE...?

Las hormigas cortadoras arrancan trozos de hojas y los llevan a su nido. Se alimentan de los hongos que crecen en las hojas en proceso de putrefacción.

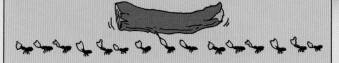

ARRIBA Los perezosos duermen hasta 18 horas al día, a veces colgados de las ramas. Cuando están despiertos pasan la mayor parte del tiempo comiendo hojas.

¿Cómo se alimentan los animales que viven en el suelo?

Algunos de los animales que viven en el suelo de la selva, como el agutí, siguen a monos y loros y van recogiendo los frutos que se les caen al suelo cuando comen. Los agutís son de la familia de las cobayas y tienen unos dientes muy grandes y fuertes con los que rompen las cáscaras que son demasiado duras para otros animales.

EN EL BOSQUE

¿Cuántas hojas tiene un roble?

En un roble grande pueden brotar cada primavera unas 250.000 hojas, que alimentarán a miles de orugas y otros insectos, que a su vez proporcionarán alimento a los pájaros. El roble, igual que el haya y el fresno, es un árbol caducifolio, es decir, que pierde todas las hojas en otoño y permanece desnudo todo el invierno.

DERECHA Un roble puede vivir más de mil años. En otoño sus hojas adquieren un color dorado.

¿Qué pájaro del bosque tiene el pico torcido?

El piquituerto es un pájaro que reside en el bosque y tiene el pico torcido y entrecruzado. Esa forma le ayuda a alcanzar las semillas de dentro de las piñas de las coníferas, un tipo de árbol perennifolio, es decir, que tiene hojas todo el año. Las coníferas suelen crecer en lugares fríos y secos, y sus hojas son pequeñas y estrechas para perder menos agua.

¿Por qué tiene el gamo manchas en el lomo?

El gamo tiene manchas en el lomo para pasar desapercibido en el bosque. Esas manchas blancas imitan las marcas que deja en el suelo el sol que penetra por entre las hojas. Las manchas o coloraciones que ayudan a los animales a esconderse se llaman camuflaje, y les sirven para que los depredadores no los vean. Por ejemplo, hay mariposas que parecen corteza de árbol.

¿Dónde duerme el oso pardo en invierno?

Los osos pardos pasan el invierno en guaridas cubiertas de ramitas y hierba o en cuevas. Los osos duermen todo el invierno para no gastar energía cuando no hay comida. Muchos animales, como las serpientes, se sumergen en un sueño muy profundo llamado hibernación. Como es tan profundo, parece que estén muertos.

EN LA MONTAÑA

¿Cómo sobreviven al frío las plantas de montaña?

Las plantas sobreviven en las frías montañas de distintas formas. La mayoría son pequeñas y crecen en las grietas de las rocas para protegerse del viento. El edelweiss atrapa el aire cálido en los pelos que recubren sus hojas y flores. La soldanella alpina sobrevive bajo la nieve en invierno y, en primavera, sus flores oscuras captan el calor del sol para fundir la nieve de su alrededor.

ARRIBA El edelweiss tiene flores amarillas rodeadas de hojas aterciopeladas.

¿Qué comen los pandas?

Los pandas gigantes comen los tallos y hojas de determinados tipos de bambú, una planta que crece en las montañas chinas. Pero aunque se alimentan sobre todo de ese vegetal, también comen insectos y huevos que encuentran en el bosque. Los pandas engullen unos 20 kilos de bambú al día en unas 15 horas. El bambú es una especie de caña que puede alcanzar los 40 metros de altura.

¿Qué pájaros pueden volar más alto que la cima del Everest?

Los buitres lo hacen. Pueden volar a 11.000 metros de altura, lo que representa unos 2.000 metros más que la montaña más alta del mundo. Aprovechan el viento que sopla en las laderas de las montañas para subir sin tener que mover las alas. Los buitres son carroñeros, es decir, comen animales muertos, y poseen una vista prodigiosa para detectarlos desde el aire.

¿SABÍAS QUE...?
Los gorilas de montaña de África tienen un pelaje largo y denso que los protege del frío en la alta montaña. Los adultos no pueden subir a los árboles porque pesan tanto que romperían las ramas.

ABAJO Las cabras blancas tienen un pelo grueso y esponjoso que las abriga.

¿Cómo se agarran las cabras blancas a las rocas?

Las cabras blancas pueden subir a las cimas rocosas más escarpadas gracias a unas pezuñas especiales. Esas pezuñas tienen una almohadilla suave y hundida por el medio que actúa como una ventosa y les permite agarrarse a las rocas. Por eso pueden correr, saltar y llegar a puntos de la montaña que son demasiado peligrosos para sus depredadores, como los leopardos de las nieves.

LA VIDA EN EL CONGELADOR

¿Dónde viven los osos polares?

Los osos polares viven en el Ártico, la región situada alrededor del Polo Norte. Se alimentan sobre todo de focas, que cazan bajo el agua, ya que pueden aguantar la respiración bastante rato. A veces aprovechan para cazar los agujeros que las focas hacen en el hielo para salir a respirar: se meten en ellos para atrapar a sus presas.

ARRIBA Hay gente que piensa que los osos polares comen pingüinos, pero es imposible porque los osos viven en el Polo Norte y los pingüinos en el Polo Sur.

¿Por qué cambia de color el zorro ártico?

El zorro ártico cambia de color a lo largo del año para camuflarse. En invierno, luce un pelaje blanco para pasar desapercibido en la nieve y el hielo y acercarse a sus presas sin ser visto. En verano, cuando se han fundido la nieve y el hielo, el pelo blanco pasa a ser marrón. El zorro ártico caza lemmings, que son como topillos, y pájaros. También come la carne de foca que dejan los osos polares.

¿Construye nidos el pingüino emperador?

No, ya que en la Antártida, el lugar donde vive, no hay ramitas ni trozos de plantas con que hacerlos. La hembra pone un huevo que luego el macho lleva sobre sus pies dentro de un pliegue de la piel. Así está caliente hasta que se rompe la cáscara.

¿SABÍAS QUE...?

En invierno se pone un líquido llamado anticongelante en el coche para evitar que se hiele el agua del motor. El bacalao del Ártico produce una especie de anticongelante que impide que se le congele la sangre.

ARRIBA El pingüino emperador es el más grande del mundo. Los machos pueden medir más de un metro.

¿Cómo resisten los mamíferos en aguas heladas?

Los mamíferos que pasan mucho tiempo en aguas heladas lo resisten porque son muy gordos. Las ballenas tienen debajo de la piel una capa muy densa de grasa que puede llegar a los 30 cm de espesor. Las focas y los leones marinos, además de grasa tienen pelo, que los abriga cuando salen a la superficie a descansar o a parir.

Algunas ballenas se alimentan de krill, unos crustáceos diminutos, pero, si escasean, sobreviven con su grasa.

HUMEDALES Y LAGOS

¿Qué planta acuática tiene las hojas más grandes?

Las hojas del nenúfar del Amazonas miden unos dos metros de ancho y son muy duras. Las plantas que crecen en zonas húmedas y lagos tienen toda el agua que necesitan, pero les resulta complicado encontrar la luz necesaria para la fotosíntesis. Las plantas que viven en aguas oscuras y profundas, como los nenúfares, tienen hojas que flotan gracias a unas bolsitas de aire.

¿Existen plantas carnívoras?

Sí, hay plantas que comen insectos para alimentarse. En ciénagas y pantanos, el suelo no tiene las sustancias necesarias para que la planta crezca. Algunas plantas carnívoras obtienen esos nutrientes atrapando y digiriendo insectos de distintas formas. La atrapamoscas tiene unas hojas que se abren y cierran como un libro. Cuando un insecto se posa en la planta y toca los pelillos de las hojas, estas se cierran y atrapan el insecto en el interior.

ARRIBA Las hojas de la atrapamoscas tienen espinas en el borde para que los insectos no se escapen.

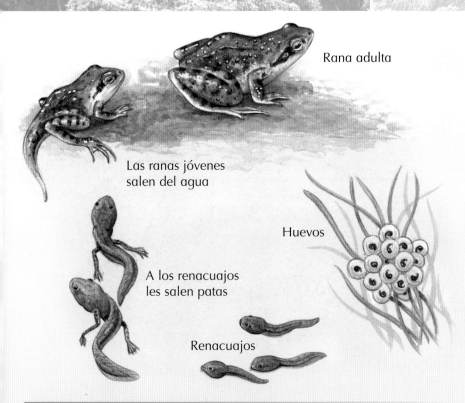

Rana adulta

Las ranas jóvenes
salen del agua

Huevos

A los renacuajos
les salen patas

Renacuajos

¿Cuándo se convierten en ranas los renacuajos?

Los renacuajos se convierten en ranas cuando llegan a la edad adulta. Cuando salen de los huevos que las ranas ponen en el agua, tienen una cola larga para nadar y parecen peces. A medida que crecen les van saliendo patas. Cuando llegan a ranas, viven en tierra, pero vuelven al agua para poner los huevos.

¿Por qué construye diques el castor?

Los castores construyen diques en los ríos para que se formen estanques profundos donde hacer su madriguera. Los diques y las madrigueras están hechos de troncos, barro y rocas. La parte superior de la madriguera está en la superficie, pero la entrada queda sumergida. Así evitan que les entren depredadores, como osos y lobos. Dentro se está caliente y seco, y las crías están a salvo.

ABAJO Los castores tienen un grueso pelaje para protegerse del frío. Con sus afilados dientes, cortan los troncos que necesitan para construir sus diques y madrigueras.

¿SABÍAS QUE...?
Los patos y los gansos que migran suelen ir parando en humedales porque allí hay mucha agua y comida.

LA VIDA EN LOS RÍOS

¿Qué árboles crecen junto al río?

Algunos árboles, como el sauce y el aliso, crecen bien en los suelos húmedos a orillas de los ríos. Además, el agua del río lleva sus semillas flotantes a otros sitios, donde quizá se conviertan en árboles. Sus raíces evitan que el agua se lleve los márgenes del río, y algunos animales, como las ratas de agua y las nutrias, construyen allí sus madrigueras.

DERECHA Las ramas del sauce llorón se sumergen en el agua.

ABAJO Los hipopótamos enseñan sus grandes colmillos para presumir. A veces les sirven para pelearse.

¿Qué es un caballo de agua?

Un caballo de agua es un hipopótamo. El nombre significa «caballo de agua» en griego antiguo, aunque en realidad son parientes lejanos de los cerdos. Los hipopótamos son mamíferos herbívoros y viven en grupo en los ríos africanos, en aguas poco profundas. Tienen los ojos, las orejas y la nariz en la parte superior de la cabeza para poder sumergirse al máximo.

¿Pueden disparar los peces a sus presas?

Algunos sí. Por ejemplo, el pez arquero posee una boca respingona con un canalillo dentro, con la que lanza agua a insectos y otros animales pequeños. El chorro los hace caer al agua, donde puede recogerlos. Para evitar que otros peces le roben las presas caídas, el pez arquero también puede dar un salto por fuera del agua.

DERECHA El pez arquero lanza chorros a hasta tres metros, aunque es más preciso cuando la presa está a un metro.

¿SABÍAS QUE...?
La anaconda es la serpiente más grande del mundo. Puede pesar más de 200 kilos y vive sobre todo en el agua.

¿Por qué se ocultan los cocodrilos bajo el agua?

Los cocodrilos adultos se esconden en las aguas poco profundas del río a la espera de que otros animales acudan a la orilla para beber. Del agua sólo les sobresalen los ojos, para vigilar a las posibles presas, como pájaros, cebras e incluso ñus. Entonces salen del agua, atrapan a la presa con las mandíbulas y la arrastran al agua para matarla.

COSTAS Y ARRECIFES DE CORAL

¿Tienen raíces las algas?

Las algas no tienen raíces porque no las necesitan: obtienen su alimento del agua, no del suelo como el resto de plantas. Las algas se adhieren a las rocas con una especie de discos, y así es como evitan que las arrastren las mareas y las olas. Muchos cangrejos y otros invertebrados, como lapas y estrellas de mar, se alimentan de ellas.

ARRIBA Las algas crecen sobre todo cerca de la costa. Pueden ser verdes, rojas o marrones.

¿Está vivo el coral?

El coral está vivo, pero los arrecifes de coral no. Los pólipos de coral son unos diminutos seres marinos que viven en mares cálidos. Para protegerse de los depredadores, producen un esqueleto pétreo. Con el tiempo, los esqueletos unidos de millones de pólipos de coral muertos forman los arrecifes, que son el hábitat de muchas especies de peces.

¿Por qué andan de lado los cangrejos?

Porque la forma de sus patas les impide hacerlo de otro modo. Aunque tienen diez patas, sólo ocho les sirven para andar. Las otras dos son pinzas, con las que cogen comida, luchan y asustan a los depredadores. Su forma aplanada y sus patas tan plegables les permiten huir de los depredadores metiéndose en agujeros.

¿SABÍAS QUE...?
La nutria marina caza moluscos, como almejas, se los pone debajo de los brazos y va nadando de espaldas mientras se los come.

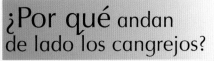

¿Cuándo salen del agua las tortugas marinas?

Las tortugas marinas salen del agua para poner los huevos en tierra. Estas tortugas viven en el mar, pero una noche al año se arrastran por las playas de arena. Con las aletas traseras hacen agujeros donde depositan más de cien huevos. Después los entierran y se van. En cuanto las crías salen del huevo, se apresuran hacia el agua.

LA VIDA EN EL MAR

ABAJO Por la forma curvada de su boca, el delfín de hocico de botella parece que sonría.

¿Cómo cazan los delfines?

En aguas profundas o sucias los delfines cazan gracias a la ecolocalización, una técnica que consiste en emitir sonidos para averiguar dónde se encuentra la presa en función del eco o el rebote. En aguas claras, los delfines suelen cazar en grupo. Rodean a su presa e incluso la acorralan en aguas poco profundas para atraparla.

¿Por qué cambia de color el pulpo?

El pulpo cambia de color para camuflarse. Para conseguirlo, aprieta unas minúsculas bolsas de tinta que tiene bajo la piel. Con este sistema, el pulpo se confunde con las rocas o la arena, y así puede esperar tranquilamente a las presas, como langostas, y cazarlas cuando pasan a su lado.

¿Qué es un *Melanocetus johnsonii*?

El *Melanocetus johnsonii* es un tipo de pez que vive en aguas oscuras, a unos 1.500 metros de profundidad, donde sólo existe la luz que producen los propios animales. Este lleva una antena iluminada, una especie de caña de pescar, colgando por delante de la boca. Los peces pequeños atraídos por la antena terminan en su tripa.

IZQUIERDA
El *Melanocetus johnsonii* abre tanto la boca que se puede tragar presas el doble de grandes que él.

¿Huelen la sangre los tiburones?

Sí, los grandes tiburones blancos huelen la sangre desde muy lejos, lo que les permite localizar a presas que están a muchos kilómetros. Suelen comer focas y leones marinos, que detectan gracias al olor de la sangre de los partos. Los tiburones nadan por debajo de sus presas y las cazan con sus afilados dientes.

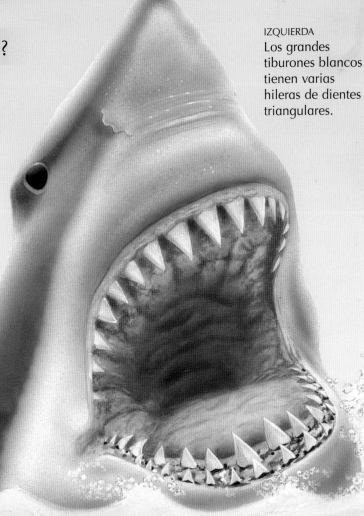

IZQUIERDA
Los grandes tiburones blancos tienen varias hileras de dientes triangulares.

¿SABÍAS QUE...?
El terrorífico rape abisal vive en aguas profundas y tiene los dientes más grandes del mundo con respecto a su tamaño. Lo son tanto que ni siquiera puede cerrar la boca del todo...

93

ANIMALES EN PELIGRO

¿Qué animales están en peligro?

En casi todos los hábitats del planeta
hay animales en peligro de extinción,
es decir, que corren el riesgo de
desaparecer. La principal amenaza
para los animales salvajes es
la destrucción de sus hábitats.
Cuando los animales se quedan
sin su hogar, no tienen dónde
vivir ni nada que comer. Algunos
pueden irse a otro sitio, pero la
mayoría mueren.

DERECHA El leopardo de las
nieves está en peligro de
extinción porque la gente lo
caza por su piel.

¿Cómo destruimos los hábitats?

Las personas destruimos los hábitats de
los animales de distintas formas. Talamos
los bosques para hacer papel o construir
edificios; desecamos humedales y arrasamos
pastizales para levantar ciudades, fábricas
o aeropuertos. Otros hábitats acusan la
contaminación, como los ríos en los que se
vierten residuos industriales.

¿Por qué se cazan elefantes?

Hay gente que caza elefantes por sus colmillos y los vende para tallarlos. Actualmente las leyes prohíben esta caza, pero muchos otros animales aún la sufren. Por ejemplo, se mata a los rinocerontes para quitarles los cuernos, con los que se hacen mangos de cuchillo. Además, se cazan orangutanes y chimpancés pequeños para venderlos como mascotas.

¿SABÍAS QUE...?

Para impedir la extinción del enorme cóndor de California, un zoo recogió a los últimos ejemplares y los cuidó hasta que aumentó su población. Luego devolvieron a unos cuantos a su estado salvaje.

¿Cómo podemos salvar a los animales en peligro?

Podemos ayudar a los rinocerontes, los elefantes y otros animales en peligro apoyando a organizaciones de protección de la fauna, que recaudan dinero para sus fines. Con el dinero, abren reservas naturales donde los animales pueden vivir tranquilos. Además, enseñan a la gente los peligros que corren y se les anima a protegerlos.

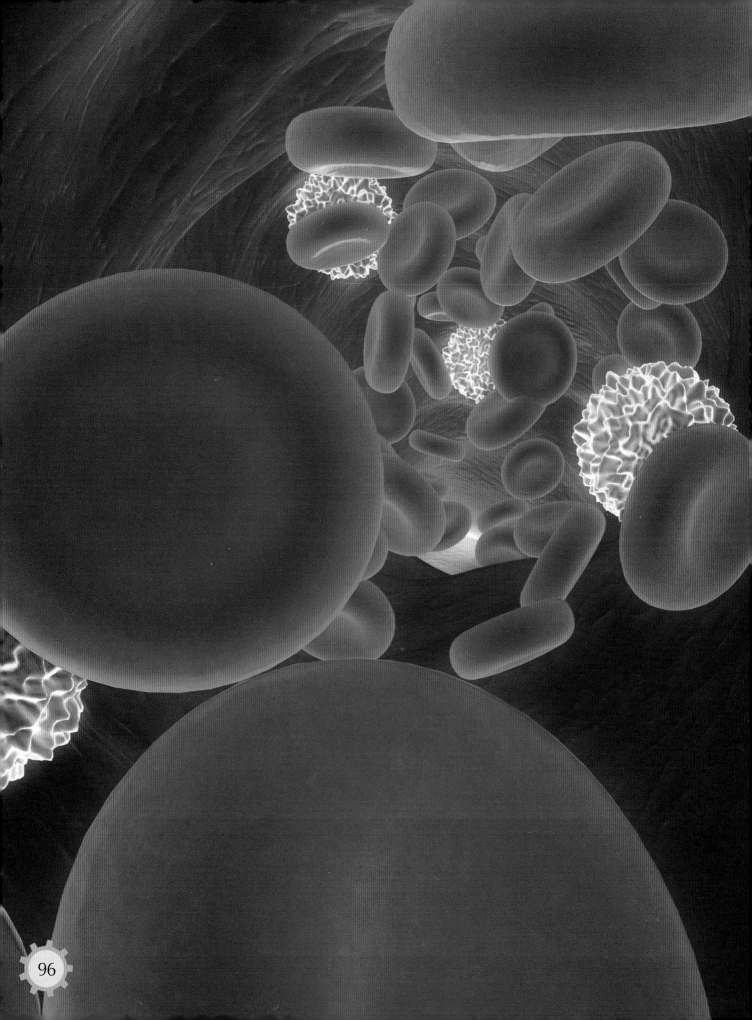

EL CUERPO HUMANO

Durante todo el día nuestro cuerpo realiza cientos de funciones para mantenernos en vida: el corazón late, los pulmones se llenan de aire, el alimento llega a la sangre, se eliminan los residuos y se envían millones de señales eléctricas al cerebro. El cuerpo tiene la capacidad de sustituir partes que se van desgastando y de curarse cuando enferma. La mayoría de esas cosas suceden sin necesidad siquiera de que pensemos en ellas.

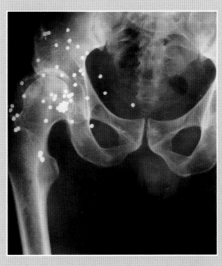

PIEL, UÑAS Y CABELLO

ABAJO El sudor ayuda a refrescar el cuerpo cuando hace calor.

¿Para qué sirve la piel?

La piel sirve para muchas cosas. Funciona como una armadura, protegiendo las partes delicadas del interior del cuerpo de la suciedad, los gérmenes y los golpes. Además, actúa como un abrigo impermeable, expulsando el exceso de agua que absorbemos y ayudándonos a mantener la temperatura correcta. Por otra parte, en ella reside el sentido del tacto, gracias al que podemos sentir dolor o saber si algo es duro o blando.

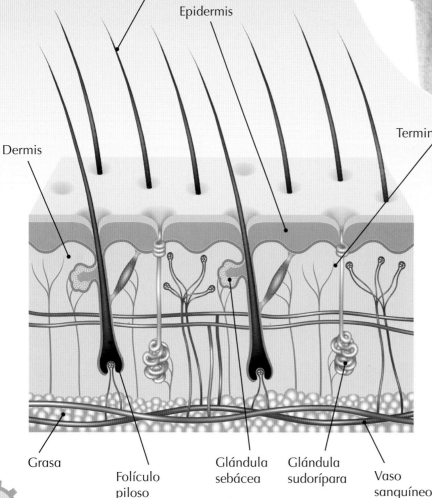

Pelo

Epidermis

Terminación nerviosa

Dermis

Grasa

Folículo piloso

Glándula sebácea

Glándula sudorípara

Vaso sanguíneo

¿De qué está hecha?

La piel consta de distintas capas. La superior, la epidermis, contiene queratina, sustancia que fortalece la piel. La capa intermedia se llama dermis y es donde están las terminaciones nerviosas que nos permiten sentir, los vasos sanguíneos que llevan alimento y oxígeno a la piel y las glándulas que producen grasa y sudor. La capa inferior es de grasa.

¿Cuánto pueden crecer las uñas?

Las uñas crecen y crecen sin cesar. Si no nos las cortáramos, podrían llegar a ser larguísimas. Sin embargo, la mayoría de la gente se las corta porque tienen una función muy importante: nos ayudan a coger y pelar cosas, y nos protegen las yemas de los dedos. Cuando nos las cortamos no hace daño porque están hechas de queratina.

ABAJO La función del cabello, ya sea liso o rizado, es muy importante: protege la cabeza tanto del frío en invierno como del sol cuando hace calor.

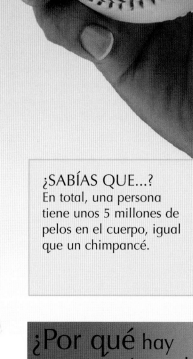

IZQUIERDA Las uñas refuerzan las yemas de los dedos y nos permiten asir mejor los objetos.

¿SABÍAS QUE...?
En total, una persona tiene unos 5 millones de pelos en el cuerpo, igual que un chimpancé.

¿Por qué hay gente que tiene el pelo rizado?

Hay personas que tienen el pelo rizado por su folículo piloso, es decir, el lugar de la piel donde crece el pelo. De los folículos con forma redonda sale el pelo rizado, mientras que de los rectos sale el cabello liso y de los ovales, el pelo ondulado. Junto a cada folículo hay una glándula que produce grasa, que mantiene el cabello impermeable y brillante.

EL ESQUELETO

¿Qué es el esqueleto?

El esqueleto es el conjunto de huesos conectados que ofrece la estructura interna que sostiene el cuerpo y le da forma. Los huesos del esqueleto tienen muchas formas distintas. Los de las piernas son largos y rectos, mientras que el cráneo es redondeado, y las costillas tienen una forma curvada y conforman una especie de caja que aloja órganos internos.

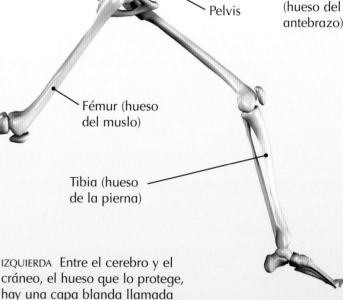

Cráneo

Columna vertebral

Mandíbula

Costilla

Radio (hueso del antebrazo)

Pelvis

DERECHA El hueso del muslo es el más largo del cuerpo humano.

Fémur (hueso del muslo)

Tibia (hueso de la pierna)

Cerebro

Meninge

IZQUIERDA Entre el cerebro y el cráneo, el hueso que lo protege, hay una capa blanda llamada meninge que hace de acolchado.

Cráneo

¿Para qué sirven los huesos?

Los huesos sostienen el cuerpo y nos mantienen erguidos. Sin ellos, nos desplomaríamos. Los huesos son duros y resistentes, para aguantarnos y protegernos. Hay huesos que tienen dentro las partes blandas del cuerpo. Por ejemplo, el cráneo es como una caja dura que resguarda el cerebro, y la caja torácica protege el corazón y los pulmones.

¿Qué son las articulaciones?

Las articulaciones son los puntos donde se unen los huesos y lo que nos permite moverlos. Necesitamos articulaciones porque los huesos son rígidos y no se doblan. Una articulación de bisagra, como el codo, sólo permite mover los huesos en una dirección. En cambio, las esféricas, como el hombro, nos dejan realizar movimientos en todas direcciones.

¿SABÍAS QUE...?
En el cuerpo de un adulto hay más de 200 huesos, y más de la mitad están en las manos y los pies.

DERECHA
Si una articulación como la cadera no funciona bien, se puede sustituir por una artificial. En esta radiografía vemos una prótesis de metal.

¿Cuándo crecen los huesos?

Los huesos crecen desde antes de nacer hasta que tenemos unos 20 años. Están hechos de millones de células vivas diminutas y de una mezcla de sustancias duras que les dan rigidez. Para que crezcan, el número de células va aumentando. Incluso los adultos producen células nuevas para sustituir otras viejas y curar los huesos rotos.

IZQUIERDA Cuando nos rompemos un brazo, a veces nos lo enyesan y lo tenemos que llevar en cabestrillo hasta que se suelda el hueso.

101

MÚSCULOS Y MOVIMIENTO

¿Dónde están los músculos?

Los músculos están por todo el cuerpo, y están formados por fibras entrelazadas que se contraen para hacer fuerza. Gracias a los músculos podemos mover la mayoría de las partes del cuerpo. Estos órganos están unidos a los huesos, que sólo se mueven si los músculos tiran de ellos. Nuestro cerebro les dice lo que tienen que hacer.

DERECHA Hay más de 600 músculos en el cuerpo humano, que constituyen la mitad de nuestro peso.

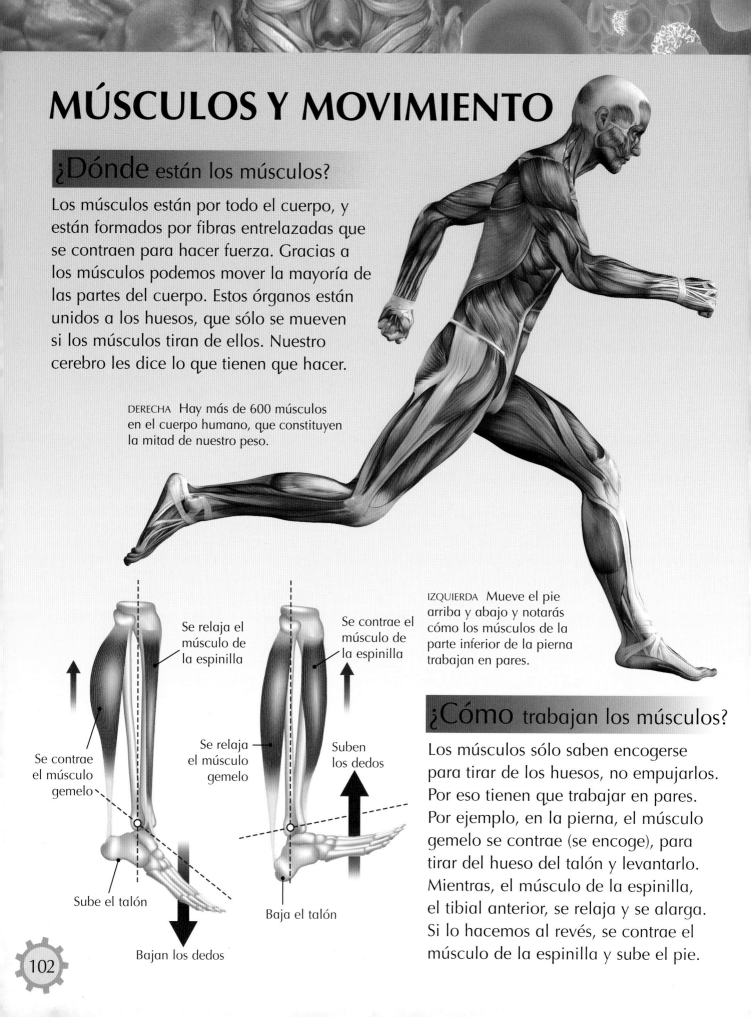

Se relaja el músculo de la espinilla

Se contrae el músculo de la espinilla

Se contrae el músculo gemelo

Se relaja el músculo gemelo

Suben los dedos

Sube el talón

Baja el talón

Bajan los dedos

IZQUIERDA Mueve el pie arriba y abajo y notarás cómo los músculos de la parte inferior de la pierna trabajan en pares.

¿Cómo trabajan los músculos?

Los músculos sólo saben encogerse para tirar de los huesos, no empujarlos. Por eso tienen que trabajar en pares. Por ejemplo, en la pierna, el músculo gemelo se contrae (se encoge), para tirar del hueso del talón y levantarlo. Mientras, el músculo de la espinilla, el tibial anterior, se relaja y se alarga. Si lo hacemos al revés, se contrae el músculo de la espinilla y sube el pie.

¿Qué son los tendones?

Los tendones son los extremos elásticos de los músculos que los unen a los huesos. Son como una cuerda: cuando contraemos un músculo, los tendones tiran de los huesos. Los tendones de las manos están conectados con los músculos del brazo que mueven los dedos.

ABAJO No hace falta tener unos músculos desarrollados como estos, pero es importante hacer ejercicio para mantenerlos fuertes.

¿Cómo se consiguen unos músculos desarrollados?

Para tener unos músculos grandes y fuertes hay que hacer ejercicio. Cada actividad trabaja un músculo distinto: el ciclismo va bien para los de las piernas, mientras que el remo refuerza los de los brazos. Con unos músculos fuertes se sufren menos lesiones deportivas. Además, unos músculos resistentes se mantienen activos más tiempo sin que empiecen a doler.

¿SABÍAS QUE...?
Muchos músculos de la cara no están unidos a un hueso sino a la piel o a otros músculos. Juntos, estos pequeños músculos nos permiten reír o guiñar un ojo.

EL CEREBRO

¿Cómo funciona el cerebro?

El cerebro envía y recibe mensajes a través de los nervios del cuerpo, que son como una especie de red telefónica: reciben la información de los sentidos y la envían a la médula espinal (un nervio muy largo que está en el interior de la columna) para que de ahí llegue al cerebro. El cerebro guarda la información, la procesa y envía otros mensajes al cuerpo.

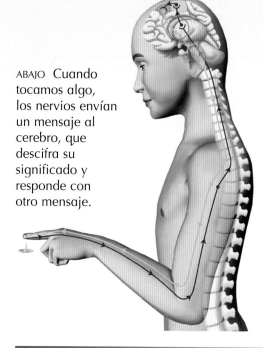

ABAJO Cuando tocamos algo, los nervios envían un mensaje al cerebro, que descifra su significado y responde con otro mensaje.

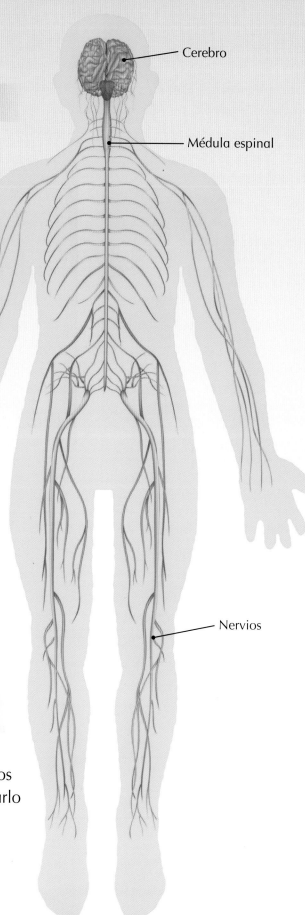

Cerebro

Médula espinal

Nervios

¿Cuándo sentimos dolor?

Sentimos dolor porque el cerebro nos lo ordena. Cuando tocamos algo afilado o caliente, los nervios de la piel envían un mensaje al cerebro para avisarlo del peligro. El cerebro procesa la información y ordena a los músculos del brazo que aparten la mano enseguida de aquello que produce el dolor.

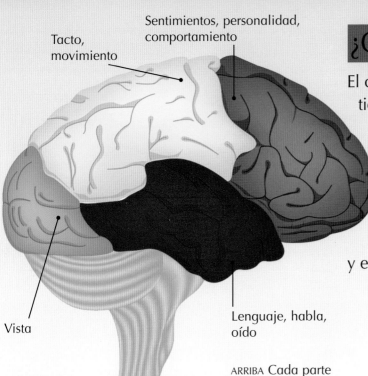

Tacto, movimiento

Sentimientos, personalidad, comportamiento

Vista

Lenguaje, habla, oído

ARRIBA Cada parte del cerebro rige una función distinta del cuerpo. Este esquema ilustra sólo cuatro.

¿Qué hace el cerebro?

El cerebro le dice al resto del cuerpo qué tiene que hacer y cuándo. Cada parte del cerebro rige una función distinta. La parte más grande son los hemisferios, de donde salen los pensamientos a partir de la información recibida de los sentidos. El hemisferio derecho gobierna la parte izquierda del cuerpo y el izquierdo, la parte derecha.

¿SABÍAS QUE...?
Los mensajes que van de la médula espinal al cerebro circulan a casi 300 km por hora, más rápido que la mayoría de los trenes de alta velocidad.

¿Descansa el cerebro?

No, ni siquiera cuando estamos profundamente dormidos. El cerebro no descansa nunca. Por la noche, se ocupa de que el corazón siga latiendo y de que respiremos, y controla muchas otras funciones del cuerpo. Además, es el momento en que procesa y organiza todo lo aprendido a lo largo del día.

LOS OJOS Y LA VISTA

¿Cómo funcionan los ojos?

Los ojos captan imágenes del mundo y las envían al cerebro. La luz que emite un objeto pasa por el cristalino, situado en el centro del ojo. El cristalino concentra la luz en la retina, en la parte posterior del ojo, y la retina transforma la luz recibida en señales, que después envía al cerebro. El cerebro convierte las señales en una imagen para que sepamos qué estamos viendo.

ABAJO El iris modifica la abertura de la pupila, que es el espacio que da paso a la luz. En la oscuridad la pupila se abre mucho para dejar entrar el máximo de luz.

Vasos sanguíneos

Nervio óptico al cerebro

Pupila

Córnea

Iris

Cristalino

Retina

Humor vítreo (el líquido que contiene el glóbulo ocular)

ABAJO Al mirar un objeto que tenemos delante, cada ojo lo ve desde un ángulo un poco distinto. El cerebro combina las imágenes de los dos ojos para formar una única imagen tridimensional.

¿Por qué necesitamos dos ojos?

Necesitamos dos ojos porque así vemos las cosas mejor. Cada ojo envía al cerebro una imagen un poco distinta de lo que ve, y, calculando las pequeñas diferencias, el cerebro sabe exactamente a qué distancia está un objeto. Eso es lo que llamamos percepción de profundidad y nos ayuda a hacer cosas como atrapar una pelota al vuelo o dar la mano.

¿Qué es una ilusión óptica?

Una ilusión óptica es una imagen que nos hace pensar que vemos algo que realmente no está ahí o que es imposible. El cerebro intenta dar un sentido a todo lo que ve. Por ejemplo, un cubo de Necker son sólo unas líneas dibujadas, pero el cerebro intenta darles un sentido. Por eso nos dice que es un cubo, pero es un cubo imposible.

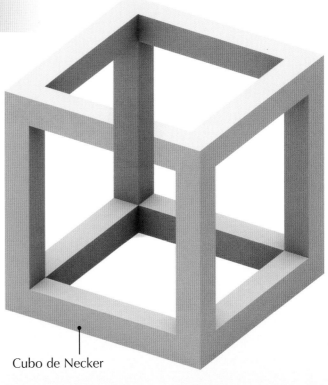

Cubo de Necker

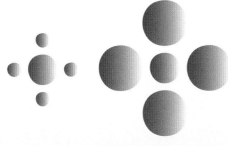

DERECHA Aunque los puntos del medio de estos dos grupos son igual de grandes, la imagen engaña al cerebro y nos parecen distintos.

¿SABÍAS QUE...?
Una persona parpadea entre 10.000 y 20.000 veces al día. El parpadeo es tan rápido que sólo dura una décima de segundo.

¿Cuándo parpadeamos?

Normalmente parpadeamos cada cinco segundos, aunque no nos damos cuenta. El parpadeo mantiene los ojos limpios y húmedos. Al parpadear, el párpado recubre de lágrimas la parte frontal del ojo, impidiendo así que se seque y expulsando partículas de polvo y suciedad. Además, el mero parpadeo ya impide que entren muchas de esas partículas en los ojos.

IZQUIERDA Cuando lloramos, nuestros ojos producen lágrimas. Las lágrimas contienen sobre todo agua, pero también sustancias que matan los gérmenes.

LAS OREJAS, EL OÍDO Y EL EQUILIBRIO

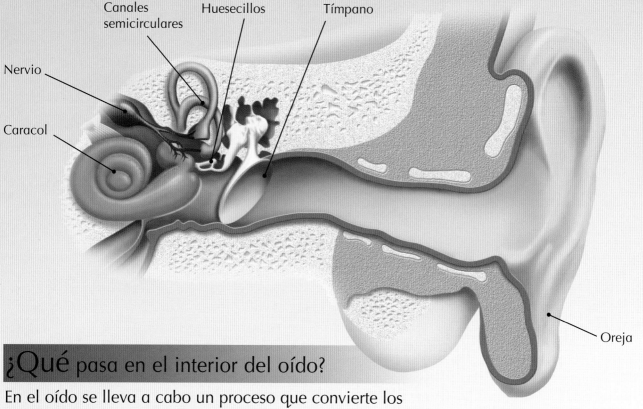

Canales semicirculares

Huesecillos

Tímpano

Nervio

Caracol

Oreja

¿Qué pasa en el interior del oído?

En el oído se lleva a cabo un proceso que convierte los sonidos en señales para el cerebro. Los sonidos hacen vibrar el aire (lo mueven) y el aire hace vibrar el tímpano. El tímpano está unido a unos huesecillos que también vibran. Los huesecillos pasan las vibraciones a un conducto llamado caracol, o cóclea, y los pelitos del caracol se mueven y envían señales al cerebro a través del nervio.

¿Por qué tenemos dos orejas?

Tenemos dos orejas, una en cada lado de la cabeza, porque de ese modo podemos saber de dónde vienen los sonidos. Por ejemplo, antes de cruzar la calle, miramos y escuchamos si vienen coches. El ruido llega a un oído antes que al otro. El cerebro calcula la pequeña diferencia para saber a qué distancia está el coche y si es prudente cruzar.

DERECHA Los auriculares envían la música a los dos oídos y, así, parece que sea en directo.

¿Cómo se mantiene el equilibrio?

El equilibrio se mantiene gracias al oído. Dentro hay tres conductos óseos llamados canales semicirculares que están llenos de un líquido. Cuando el cuerpo se mueve, lo hace también ese líquido. Con la información que recibe sobre los más pequeños cambios, el cerebro envía las órdenes oportunas a brazos y piernas para que mantengan el equilibrio.

¿SABÍAS QUE...?
Cuando bajamos de un tiovivo estamos mareados porque el líquido de los canales semicirculares sigue moviéndose unos segundos.

DERECHA Los murciélagos emiten unos sonidos muy agudos que las personas no podemos oír.

DERECHA
Los gimnastas tienen que tener un buen sentido del equilibrio para hacer verticales y otros ejercicios difíciles.

¿Qué sonidos podemos oír?

Oímos muchos sonidos, pero no todos. Por ejemplo, las personas no podemos oír los sonidos que emiten los murciélagos o los animales marinos para comunicarse. Los sonidos que oímos de forma más clara son las voces que emiten otras personas, porque oír a los demás nos resulta necesario para comunicarnos.

RESPIRAR, HABLAR Y OLER

¿Por qué respiramos?

Respiramos porque necesitamos el oxígeno del aire. Al inspirar, el aire entra por la nariz y la boca, que lo conducen hasta los pulmones. El oxígeno pasa de los pulmones a la sangre, que lo transporta a todo el cuerpo. Cuando espiramos, sacamos aire más pobre en oxígeno y con más dióxido de carbono, gas tóxico.

DERECHA No podemos parar de respirar, pero bajo el agua no hay aire. Por eso los buzos llevan bombonas de oxígeno.

¿Cómo respiramos?

Para que podamos respirar, nuestros pulmones se tienen que ir hinchando y deshinchando. Como no pueden hacerlo solos, los pulmones están pegados a la caja torácica y al diafragma, y son este músculo y los de las costillas los que tiran de ellos hacia fuera para expandirlos. Cuando espiramos, las costillas vuelven a su sitio y el diafragma se relaja.

Inspiración

Sube la caja torácica

Se contrae el diafragma

Espiración

Baja la caja torácica

Se relaja el diafragma

¿Por qué hablamos por la boca?

Hablamos por la boca porque producimos los sonidos con el aire que expulsamos. Al hablar, el aire de los pulmones pasa por unos pliegues de piel que hay en el cuello llamados cuerdas vocales. La corriente de aire hace vibrar las cuerdas y produce sonidos, que se convierten en palabras a medida que vamos variando la forma de la boca y la lengua.

¿SABÍAS QUE...?
Cuando estornudamos para expulsar partículas de polvo y suciedad de la nariz, el aire sale a más de 150 km por hora, más rápido que un coche por la autopista.

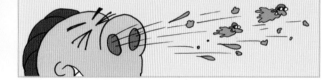

¿Cómo olemos las cosas?

Olemos las cosas cuando inspiramos por la nariz. Dentro de la nariz hay células nerviosas que captan los olores del aire. Esos nervios envían mensajes al cerebro, que luego determina de qué olores se trata. El sentido del olfato es fundamental porque puede advertirnos de peligros, por ejemplo, cuando olemos el humo de un incendio.

EL CORAZÓN Y LA SANGRE

¿Por qué late el corazón?

El corazón late para bombear la sangre
por todo el cuerpo. El corazón es un órgano
de naturaleza muscular que está situado
en medio del pecho. Cuando el corazón se
contrae, envía la sangre a unos conductos
llamados vasos sanguíneos. La sangre
transporta el alimento digerido y
el oxígeno por todo el cuerpo
y se lleva los residuos.

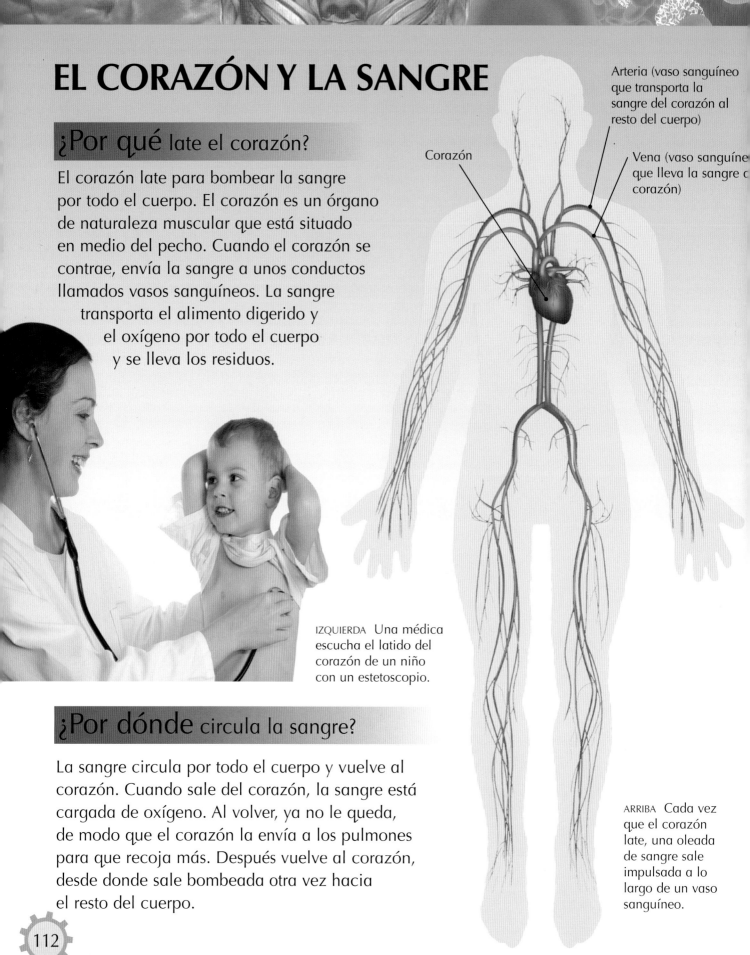

Corazón

Arteria (vaso sanguíneo
que transporta la
sangre del corazón al
resto del cuerpo)

Vena (vaso sanguíneo
que lleva la sangre al
corazón)

IZQUIERDA Una médica
escucha el latido del
corazón de un niño
con un estetoscopio.

¿Por dónde circula la sangre?

La sangre circula por todo el cuerpo y vuelve al
corazón. Cuando sale del corazón, la sangre está
cargada de oxígeno. Al volver, ya no le queda,
de modo que el corazón la envía a los pulmones
para que recoja más. Después vuelve al corazón,
desde donde sale bombeada otra vez hacia
el resto del cuerpo.

ARRIBA Cada vez
que el corazón
late, una oleada
de sangre sale
impulsada a lo
largo de un vaso
sanguíneo.

112

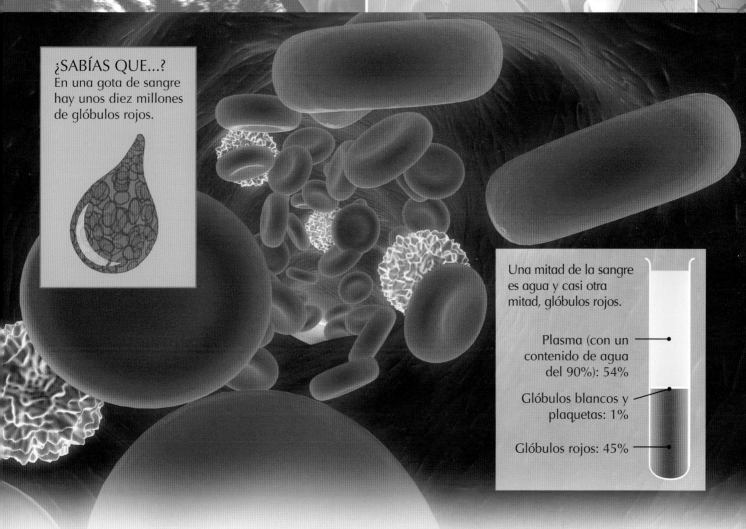

¿SABÍAS QUE...?
En una gota de sangre hay unos diez millones de glóbulos rojos.

Una mitad de la sangre es agua y casi otra mitad, glóbulos rojos.

Plasma (con un contenido de agua del 90%): 54%

Glóbulos blancos y plaquetas: 1%

Glóbulos rojos: 45%

ABAJO Podemos donar sangre para salvar la vida de alguien que ha perdido mucha porque nuestro cuerpo puede regenerarla.

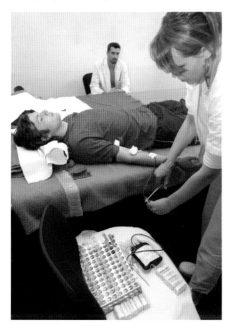

¿Qué es un glóbulo rojo?

Los glóbulos rojos son células de la sangre. Contienen hemoglobina, una sustancia química que transporta el oxígeno y les da el color rojo. La sangre está formada, además, por plasma, glóbulos blancos y plaquetas. Los glóbulos blancos combaten los gérmenes nocivos y las plaquetas evitan que nos desangremos si nos herimos.

¿Cuánta sangre tenemos?

Un adulto tiene entre 4 y 6 litros de sangre. Cuando mueren las células sanguíneas viejas, se crean otras nuevas dentro de los huesos, en la médula. Existen ocho grupos sanguíneos distintos y cada persona tiene uno. Si alguien pierde mucha sangre en un accidente, los médicos comprueban cuál es su grupo sanguíneo antes de ponerle la de otra persona.

LAS ENFERMEDADES

¿De dónde salen los gérmenes?

Los gérmenes son pequeños seres que están en el mundo que nos rodea: en el aire, la tierra, el agua y, a veces, la comida. Si entran en el cuerpo por alguna abertura, como la nariz o la boca, o por un corte en la piel, pueden provocarnos enfermedades como resfriados o la gripe.

ABAJO Los científicos analizan los gérmenes mirándolos por el microscopio.

ARRIBA Al estornudar nos tenemos que poner un pañuelo delante de la boca para que los gérmenes del resfriado no queden en el aire.

¿Cómo causan enfermedades?

Los gérmenes inician enfermedades cuando se quedan a vivir dentro del cuerpo. El cuerpo está formado por millones de seres diminutos llamados células, y los gérmenes roban energía y alimento a las células y debilitan el cuerpo. Además, también generan residuos, que al entrar en nuestro sistema nos hacen sentir muy mal.

¿Podemos combatir las enfermedades?

Sí, porque cuando hay gérmenes dentro del cuerpo los glóbulos blancos de la sangre generan anticuerpos, que son sustancias que buscan los gérmenes y se pegan a ellos. Así, el resto de los glóbulos blancos de la sangre pueden localizar los gérmenes y destruirlos. Cuando estamos enfermos, nuestro cuerpo produce más glóbulos blancos para protegernos.

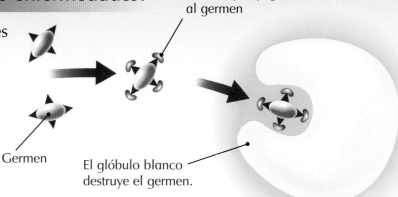

Anticuerpos pegados al germen

Germen

El glóbulo blanco destruye el germen.

ARRIBA Los anticuerpos ayudan al glóbulo blanco a detectar el germen para destruirlo.

¿Qué son las vacunas?

Las vacunas son inyecciones de un medicamento especial y evitan que contraigamos enfermedades graves. Una vacuna contiene una cantidad inofensiva de una enfermedad concreta. Cuando la tenemos dentro, el cuerpo genera anticuerpos para atacarla, y esos anticuerpos permanecen en la sangre durante mucho tiempo. Así, si pillamos la enfermedad, ya están listos para acabar con ella.

ABAJO
La mayoría de las vacunas se administran con una inyección.

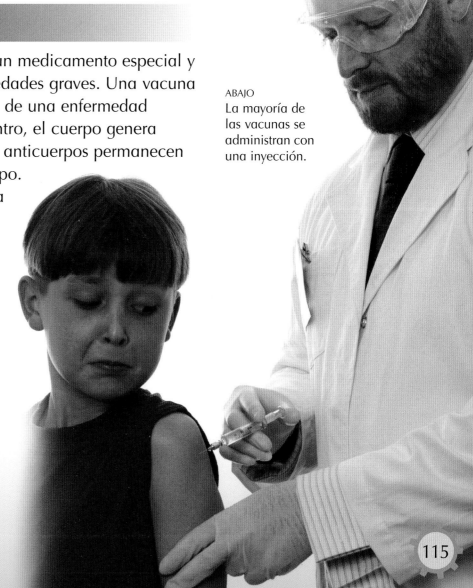

¿SABÍAS QUE...?
El jabón puede protegernos de las enfermedades: al lavarnos las manos eliminamos los gérmenes de las cosas que hemos tocado.

EL GUSTO Y LA COMIDA

IZQUIERDA La comida sana, como las manzanas, aporta energía y nos ayuda a crecer.

¿Por qué necesitamos comer?

La comida es la gasolina del cuerpo. Se descompone en un proceso llamado digestión, en el que el cuerpo separa los materiales que necesita. El cuerpo tiene millones de pequeñas células que usan la energía de los alimentos para crear otras nuevas que sustituyan las viejas. Hay comida, por ejemplo, que aporta los componentes necesarios para desarrollar los músculos.

¿Cómo funciona el gusto?

Percibimos el gusto con la lengua y la nariz. La lengua está cubierta de papilas gustativas, que notan los sabores de la comida y envían señales al cerebro. Los conductos de la nariz están conectados con la boca, por lo que el olor de la comida también ayuda al cerebro a decidir qué sabor tiene.

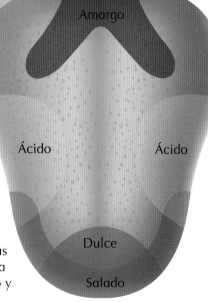

Amargo
Ácido
Ácido
Dulce
Salado

DERECHA Antes se creía que en diferentes zonas de la lengua se notaban cuatro sabores. Ahora los científicos dicen que los sabores son cinco y se pueden notar en toda la lengua.

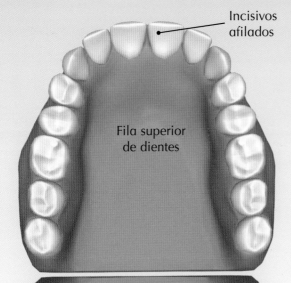

Incisivos afilados

Fila superior de dientes

Fila inferior de dientes

Muelas planas

ARRIBA Los dientes de arriba y de abajo trabajan juntos para cortar y masticar la comida.

¿Qué ocurre al masticar la comida?

Al masticar, los dientes cortan la comida en pedazos y la saliva la ablanda para que el cuerpo pueda digerirla. Los dientes tienen diferentes formas porque hacen trabajos distintos: los de la parte delantera muerden y cortan, y las muelas mastican los alimentos.

¿SABÍAS QUE...?
La digestión empieza incluso antes de comer. Con sólo oler la comida, la boca genera saliva, que ablanda los alimentos cuando están dentro de la boca.

¿Dónde va la comida?

Después de tragarla, la comida pasa al estómago. Durante unas cinco horas, los líquidos del estómago descomponen la comida en fragmentos, que pasan al intestino delgado. Allí, los fragmentos son ya tan pequeños que pueden pasar a la sangre. La sangre lleva la comida digerida por todo el cuerpo, mientras que los fragmentos que no se necesitan van al intestino grueso. Y de allí, al baño...

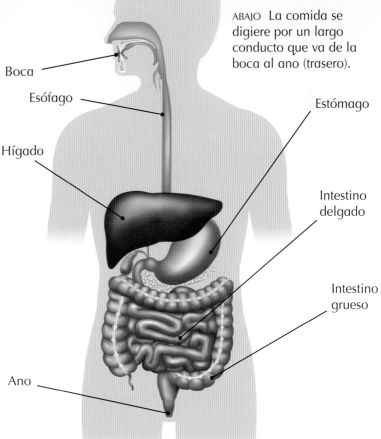

ABAJO La comida se digiere por un largo conducto que va de la boca al ano (trasero).

Boca

Esófago

Hígado

Estómago

Intestino delgado

Intestino grueso

Ano

117

ÓRGANOS VITALES

¿Dónde está el hígado?

El hígado es un órgano que se encuentra por debajo de las últimas costillas, en la parte derecha del cuerpo. Los órganos tienen funciones muy importantes. El hígado, por ejemplo, filtra las sustancias peligrosas de la sangre y almacena nutrientes, como vitaminas o hierro, para el cuerpo. Además, ayuda a digerir la comida, ya que produce la bilis, un líquido que descompone los alimentos en el estómago.

Hígado

Riñón

Riñón

DERECHA El hígado es el órgano más grande del cuerpo. La imagen muestra dónde está en relación con otros órganos principales, como la vejiga y los riñones.

Vejiga

¿Por qué tenemos glándulas?

Las glándulas producen sustancias químicas necesarias para el organismo y están situadas en distintas partes del cuerpo. Por ejemplo, las glándulas sudoríparas de la piel producen el sudor y las glándulas salivares de la boca fabrican saliva. Las glándulas suprarrenales están encima de los riñones y producen adrenalina, una sustancia que nos proporciona energía de inmediato si la necesitamos.

IZQUIERDA Las glándulas suprarrenales liberan energía de repente para ayudarnos a superar el miedo y, por ejemplo, que nos atrevamos a saltar desde cierta altura.

118

¿Cómo eliminamos los residuos?

A través de los riñones. Cuando la sangre circula por el cuerpo, una de sus funciones es recoger los residuos de las células del organismo. Si esos residuos se acumulasen, nos intoxicarían. Cuando la sangre pasa por los riñones, estos órganos eliminan los residuos y los depositan en la orina, que se acumula en la vejiga hasta que vamos al baño.

ABAJO Los riñones necesitan agua para funcionar bien.

¿SABÍAS QUE…?
La glándula pituitaria es diminuta pero produce sustancias para el crecimiento. A veces produce demasiadas y hay gente que crece más de lo normal.

¿Qué es un trasplante de riñón?

Un trasplante de riñón es una operación en la que una persona a la que le ha fallado un riñón recibe uno nuevo. Podemos vivir con normalidad con un solo riñón, y por eso a veces hay parientes que donan uno a un familiar que lo necesita. En una operación de trasplante, los riñones enfermos se dejan en su sitio y el nuevo se coloca debajo.

UNA NUEVA VIDA

¿Cómo se hace un bebé?

Un bebé se desarrolla a partir de la unión de dos pequeñas células, una del padre y otra de la madre. La célula masculina es el espermatozoide y la femenina, el óvulo. Las células son tan pequeñas que sólo se ven bajo el microscopio. Después de unirse, empiezan a multiplicarse y se forma un bebé.

ARRIBA Los espermatozoides parecen pequeños renacuajos y sólo uno llega al óvulo.

¿Cómo crece un bebé?

Un bebé se desarrolla cuando, a partir del espermatozoide y el óvulo, se forma una nueva célula, llamada cigoto. El cigoto se divide en dos y, después, las dos mitades se dividen también en dos. El proceso se llama división celular y continúa sin cesar. Las nuevas células se van agrupando y van formando las distintas partes del cuerpo del bebé.

DERECHA El cigoto se divide muchas veces en el útero materno hasta convertirse en un bebé.

¿Cómo se desarrolla un bebé?

El bebé va creciendo dentro de su madre durante unos nueve meses, hasta que está a punto para nacer. Al principio es muy pequeño y tres meses después no mide más de 8 cm, pero ya tiene manos, pies, ojos, nariz y boca. Al nacer, el bebé es mucho más grande, pero aún no puede valerse por sí mismo y hay que alimentarlo y cuidarlo.

IZQUIERDA
Una ecografía muestra el bebé dentro de la madre.

¿SABÍAS QUE...?
Los bebés lloran nada más nacer. El llanto no significa necesariamente que no estén contentos, sino que es su única forma de expresar sus necesidades.

¿Por qué nos parecemos a nuestros padres?

Los niños se parecen a sus padres a causa de los genes, que son una especie de código con instrucciones que llevan las células del cuerpo. Los genes dicen a las células en qué tipo de célula deben convertirse y se transmiten del padre y la madre al bebé. Por eso los niños suelen parecerse a sus padres.

121

CRECER

¿Cómo crece un bebé?

Los bebés crecen y cambian a una velocidad increíble en su primer año de vida. Al cabo de un año, un bebé suele pesar tres veces más que al nacer, pero ese no es el único cambio. A los cuatro meses ya se aguanta sentado, ríe y juega. Al año de edad puede sostenerse en pie o incluso andar y decir sus primeras palabras.

¿Cómo cambian los niños?

A medida que se hacen mayores los niños cambian, aprenden y se desarrollan en muchos sentidos. Además de crecer físicamente, aprenden a leer y escribir, a cuidar de sí mismos y otras cosas como, por ejemplo, montar en bici. Los niños aprenden mucho jugando, pero también imitando a los demás y escuchando sus consejos.

ABAJO Leer es una de las cosas que aprenden los niños al crecer.

¿SABÍAS QUE...?
Cuando los niños crecen más deprisa es en los dos primeros años de vida y durante la pubertad. Los chicos adolescentes pueden crecer 10 cm al año y las chicas, 7 cm.

¿Qué es la pubertad?

La pubertad es el momento de la vida en que el cuerpo empieza a cambiar y a desarrollarse: pasamos de niños a adultos. Esta fase puede empezar entre los 8 y los 14 años y uno de los signos más claros es el aumento de estatura. Las chicas desarrollan una figura más femenina y a los chicos les cambia la voz y les crece vello en la cara.

IZQUIERDA En la adolescencia los chicos empiezan sentirse adultos.

¿Cuándo dejamos de crecer?

Las personas dejan de crecer después de la pubertad, cuando ya son adultas, más o menos entre los 18 y los 20 años. Los huesos ya no se estiran más y se ha alcanzado la estatura definitiva.

DERECHA A partir de los 20 años empezamos a envejecer porque el cuerpo deja de sustituir las células muertas.

VIDA SANA

¿Qué hay que comer?

Para estar sanos tenemos que comer diferentes tipos de alimentos. Hay que intentar ingerir hidratos de carbono, como pasta, arroz y pan, en todas las comidas, y comer al menos cinco clases distintas de fruta y verdura cada día. También necesitamos proteínas, como queso o carne, dos o tres veces al día. La grasa, el aceite y el azúcar también tienen su función, pero sólo hay que comerlos en pequeñas cantidades.

IZQUIERDA Una pirámide de los alimentos muestra qué cantidad podemos comer de cada uno. Los de abajo son los que podemos comer en mayor cantidad, mientras que los de arriba son sólo para ocasiones especiales.

Dos tercios del cuerpo son agua.

¿SABÍAS QUE...?
Comer zanahorias es bueno para la vista porque las zanahorias, como los albaricoques, la leche y los espárragos, contienen mucha vitamina A.

¿Por qué es buena el agua?

Beber agua es bueno porque el cuerpo la necesita para funcionar correctamente. Tenemos agua en el cerebro, la sangre, las articulaciones y otros sitios. Y todos los días perdemos mucha, por ejemplo, cuando sudamos o vamos al baño. Para compensarlo, hay que beber más agua y comer alimentos que la contengan, como frutas, verduras o sopa.

¿Por qué hay que hacer ejercicio?

El ejercicio nos ayuda en muchos sentidos. Por ejemplo, refuerza los huesos y los músculos que están creciendo. Los deportes en los que tenemos que respirar más profundamente, como el ciclismo, van bien para el corazón y los pulmones. Además, nos ponemos en forma, nos relajamos y dormimos mejor. El deporte nos ayuda a estar más contentos y a conocer nuevos amigos. Lo importante no es el tipo de ejercicio, sino disfrutar haciéndolo.

DERECHA La natación es un deporte muy bueno porque va bien para el corazón y los pulmones, y también refuerza los músculos y los huesos.

¿A qué hora hay que irse a dormir?

El momento de irse a la cama depende de las horas de sueño que necesite cada cual. Los bebés necesitan dormir hasta 16 horas al día, pero los adultos pueden tener bastante con 6. La mayoría de los niños necesitan al menos 10 horas. Al dormir, el cuerpo descansa y el cerebro ordena toda la información nueva que ha recibido durante el día.

IZQUIERDA Para estar sano y recuperar la energía necesaria, hay que dormir las horas suficientes.

125

HISTORIA DEL MUNDO

Los primeros humanos vivieron en la Tierra hace unos 200.000 años. Desde entonces, nuestra especie ha cambiado el mundo: hemos ocupado todos los rincones del planeta, hemos desarrollado el lenguaje y la escritura, hemos inventado máquinas impresionantes y hemos explorado el espacio. La historia de la humanidad está repleta de guerras sangrientas y brutales conquistas, pero también de logros increíbles. Y aunque la historia es el relato del pasado, nos ayuda a entender el presente y el futuro.

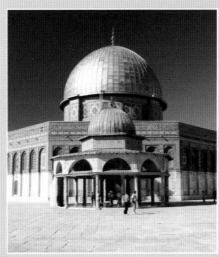

EL ANTIGUO EGIPTO

¿Cuándo se construyeron las pirámides?

Los antiguos egipcios construyeron las primeras pirámides hace 4.500 años; eran tumbas para sus gobernantes, los faraones. Al morir, enterraban al faraón en la pirámide junto con sus pertenencias, para que pudiera disfrutar de ellas en su otra vida. Los antiguos egipcios dominaron una extensa zona del norte de África desde hace unos 5.000 años hasta que, en el 30 a. C., Egipto pasó a formar parte del Imperio romano.

¿SABÍAS QUE...?
Muchos de los dioses egipcios tenían cabeza de animal para simbolizar sus poderes. A la diosa Sekhmet la representaban con cabeza de león por su fiereza.

ARRIBA Las pirámides se construyeron con miles de bloques de piedra transportados en barco por el río Nilo.

¿Cómo se hacían las momias?

Lo primero que se hacía era sacar del cuerpo del difunto el hígado, los pulmones y otros órganos. Después el cuerpo se cubría con una especie de sal para que se secara. A los 40 días se le aplicaba aceite para evitar que la piel se agrietara. Entonces se rellenaba el cuerpo y se envolvía con vendas y, por último, se introducía en un ataúd llamado sarcófago.

IZQUIERDA La momificación ha conservado cuerpos de antiguos egipcios durante más de 5.000 años.

¿Por qué era tan importante el Nilo?

Sin el Nilo, el antiguo Egipto no hubiera sido un imperio tan rico y poderoso. Cada año el río se desbordaba y el agua cubría el desierto. Esa tierra se fertilizaba y era apta para los cultivos. Además, los agricultores construían canales para llevar el agua aún más lejos. El río también les permitía pescar y transportar mercancías en barco.

¿Qué son los jeroglíficos?

Los jeroglíficos son la forma de escritura mediante dibujos que usaban los egipcios, y se han encontrado en las paredes de templos y tumbas, así como en rollos de papiro. El papiro era una especie de papel hecho con un tipo de caña que crecía a orillas del Nilo. Gran parte de lo que sabemos sobre el antiguo Egipto se lo debemos a los jeroglíficos.

ABAJO Los jeroglíficos se esculpían en paredes o se pintaban en rollos de papiro.

LA ANTIGUA GRECIA

¿Cómo vivía la gente en la antigua Grecia?

La vida era distinta para hombres y mujeres, ricos y pobres. Los hombres gobernaban las ciudades y pasaban largas temporadas en guerras lejos de su hogar, mientras que las mujeres atendían la casa y pocas veces salían. La mayoría de las familias tenían esclavos, que hacían las tareas domésticas y manuales pero carecían de derechos y libertad.

ARRIBA Los griegos representaban su vida y la de sus dioses en impresionantes esculturas.

¿Qué sucedía en los templos griegos?

En los templos, los sacerdotes cuidaban de las estatuas de los dioses y diosas griegos, mientras que la gente corriente los adoraba desde el exterior. Los griegos construían estatuas y templos para complacer a los dioses porque creían que eran como las personas, con sus días malos y buenos, sus peleas y sus fiestas. Creían que había que tenerlos contentos para que velaran por ellos.

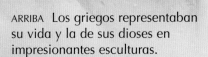

IZQUIERDA El Partenón de Atenas es el templo griego más famoso. Fue construido hace 2.500 años.

¿Cuáles fueron los primeros Juegos Olímpicos?

Los Juegos Olímpicos surgieron hace 2.700 años como una fiesta religiosa en honor de Zeus, el rey de los dioses, y la única prueba atlética que incluían era una carrera. Sin embargo, el deporte era muy importante para los griegos y progresivamente se añadieron más competiciones. Con el tiempo, los Juegos pasaron a celebrarse cada cuatro años durante cinco días, y acudía a la cita gente de toda Grecia.

ABAJO El lanzamiento de disco fue una de las pruebas de los primeros Juegos Olímpicos.

¿Quién actuaba en los teatros griegos?

En las primeras obras griegas declamaba un solo actor, acompañado de un grupo llamado coro que recitaba y cantaba. Obras posteriores incluían más papeles, todos interpretados por hombres (también los de mujeres). Los teatros se construían al aire libre con asientos de piedra esculpidos en las laderas de la montaña y podían albergar hasta 10.000 personas.

ABAJO Los teatros griegos estaban tan bien proyectados que incluso desde las últimas filas se oía a los actores.

¿SABÍAS QUE...?
Se dice que la perdida Atlántida fue una ciudad de la Grecia antigua que desapareció bajo el mar tras una violenta erupción volcánica.

LOS ROMANOS

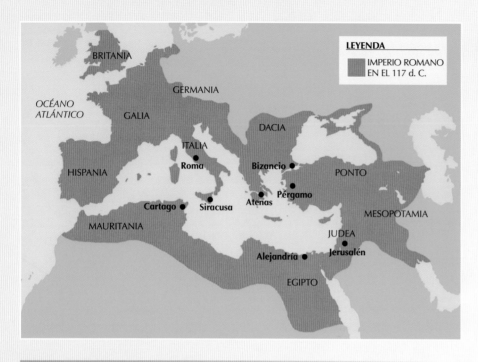

LEYENDA

IMPERIO ROMANO EN EL 117 d. C.

BRITANIA

OCÉANO ATLÁNTICO

GERMANIA

GALIA

DACIA

ITALIA

Roma

Bizancio

PONTO

HISPANIA

Pérgamo

Cartago

Siracusa

Atenas

MESOPOTAMIA

MAURITANIA

JUDEA

Alejandría

Jerusalén

EGIPTO

¿Qué extensión tenía el Imperio romano?

En su época de máximo esplendor, el Imperio romano se extendía de Gran Bretaña al norte de África y de la Península Ibérica a Oriente Medio. El emperador gobernaba desde la capital, Roma, en la Italia actual. El Imperio alcanzó su mayor extensión en el siglo II d. C., durante la época de Trajano.

¿Con qué armas luchaban los romanos?

Los soldados romanos se enfrentaban a sus enemigos con lanzas y espadas cortas. Estaban muy bien entrenados y luchaban en equipo. Para defenderse de las flechas, varios soldados se colocaban el escudo por encima de la cabeza, formando una especie de coraza que protegía al grupo.

ABAJO Los soldados romanos llevaban una pesada armadura y casco de hierro para protegerse de los golpes.

¿Quiénes eran los gladiadores?

Los gladiadores eran esclavos entrenados para luchar a fin de entretener al público de los anfiteatros. Estos luchadores se batían unos contra otros y también con animales como leones y osos. Cuando perdían en el combate, a veces el público decidía si debían morir o vivir. Los mejores gladiadores eran ricos y famosos.

¿Qué construyeron los romanos?

Los romanos construyeron ciudades y pueblos bien planificados con hermosos edificios de piedra, y erigieron acueductos, canalizaciones que llevaban el agua a las ciudades desde lejanos manantiales. También crearon un sistema de alcantarillas subterráneas para evacuar los residuos y construyeron los primeros edificios de viviendas, baños y anfiteatros como el Coliseo.

ABAJO El Coliseo de Roma tenía capacidad para 50.000 personas, que acudían para ver las luchas de gladiadores.

¿SABÍAS QUE...?
El Circo Máximo de Roma era un estadio enorme para carreras de caballos y cuadrigas. Medía unos 570 metros de largo por 140 de ancho y podía albergar a 250.000 personas, un cuarto de la población de Roma.

LOS VIKINGOS

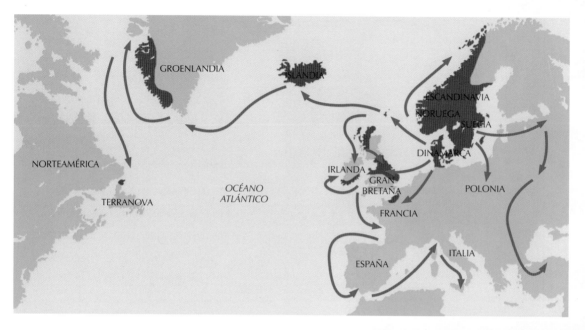

LEYENDA

■ Zona con asentamientos vikingos

― Expediciones, rutas comerciales e incursiones de los vikingos

IZQUIERDA
Este mapa muestra las zonas con asentamientos vikingos. Llegaron incluso a Norteamérica, y se establecieron en Terranova hacia el año 1000 d. C.

¿De dónde eran los vikingos?

Los vikingos vivían en la zona que ahora llamamos Escandinavia alrededor del año 800 d. C. y muchos eran agricultores y cazadores. Las familias vivían en cabañas alargadas de madera de una sola habitación con un hogar en medio para cocinar. Los vikingos eran grandes artesanos: fabricaban recipientes, sartenes y joyas de plata y oro, así como herramientas y armas de bronce.

¿Por qué asaltaron los vikingos otros sitios?

Los vikingos abandonaban su hogar para asaltar otros sitios porque no tenían suficiente tierra de cultivo. Muchos navegaban en barcos de madera para robar objetos como cruces de oro y libros sagrados tachonados de joyas. Además, atacaban pueblos y granjas, y secuestraban a gente para que les hicieran de esclavos.

¿Cómo eran los barcos vikingos?

Los barcos de asalto vikingos eran alargados y estrechos e iban equipados con una gran vela cuadrada. Surcaban las aguas a toda velocidad y su casco resistía las aguas más embravecidas y largas travesías. En ciertas naves viajaban más de 200 guerreros, que iniciaban el ataque a los habitantes de las poblaciones costeras nada más llegar porque atracaban en la misma playa.

¿Qué dioses veneraban los vikingos?

Los vikingos adoraban a muchos dioses, como Thor, que cuando estaba enfadado lanzaba su martillo y provocaba relámpagos y tormentas. Freya, la diosa del amor, lloraba lágrimas de oro. Los relatos que contaban sobre sus dioses constituyen la mitología nórdica. La palabra inglesa *Thursday* procede del dios Thor, y *Friday*, de Freya.

¿SABÍAS QUE...?
Además de hacer incursiones, los vikingos viajaron a lo largo y ancho del planeta comprando y vendiendo mercancías, desde pieles de Islandia hasta seda y especias orientales.

IZQUIERDA
El dios supremo de los vikingos, Odín, era el señor de la guerra, la sabiduría, la poesía y la muerte.

AZTECAS, INCAS Y MAYAS

¿Por qué construyeron pirámides los mayas?

La civilización maya construyó enormes pirámides con las caras escalonadas. Eran sus templos y estaban decorados con pinturas de los principales dioses: el Sol, la Luna, la Tierra y los dioses de la lluvia. En la parte superior había observatorios para estudiar las estrellas. El Imperio maya se extendía por México y América Central y existió entre 200 y 1550 d. C.

ABAJO Los mejores guerreros aztecas llevaban garrotes de madera con afiladas lascas de piedra a los lados.

¿Quiénes eran los aztecas?

Los aztecas eran un pueblo de cazadores que llegó a México hacia el 1200. Pronto conquistaron otras tierras y fundaron un imperio de 12 millones de personas. En su capital, Tenochtitlán, erigieron grandes palacios, y en todo el imperio construyeron templos. Creían que sacrificando a personas, como prisioneros de guerra, contentaban a los dioses.

¿Dónde está la ciudad perdida inca?

La ciudad perdida de los incas (el Machu Picchu) se encuentra en los Andes, Sudamérica. Los incas controlaron un poderoso imperio entre 1430 y 1530. Tras su caída, el mundo ignoró dónde se hallaba la ciudad hasta que, en 1911, fue descubierta por el explorador estadounidense Hiram Bingham.

¿SABÍAS QUE...?
Los emperadores aztecas bebían chocolate caliente, pero lo hacían con cacao molido, miel y guindilla y, por lo tanto, era muy picante.

¿Qué les sucedió a los aztecas y los incas?

Los Imperios azteca e inca sucumbieron ante la llegada en el siglo XVI de los soldados españoles, que se lanzaron a su conquista y a la expoliación de sus riquezas. En pocos años los españoles destruyeron la mayor parte de los edificios, saquearon los tesoros y tomaron el poder.

DERECHA Los incas no representaban una seria amenaza para los españoles, provistos de rifles y caballos.

EL IMPERIO CHINO

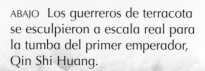

ABAJO Los guerreros de terracota se esculpieron a escala real para la tumba del primer emperador, Qin Shi Huang.

¿Qué gobernantes tuvo China en el pasado?

Entre los años 221 a. C. y 1912 d. C. China estuvo gobernada por una serie de poderosos emperadores, llamados hijos del cielo. Durante esa época la civilización china fue una de las más grandes, ricas y avanzadas del mundo. El pueblo chino creía que su país era el centro de la Tierra y que todos los extranjeros eran bárbaros.

¿Qué era la Ruta de la seda?

La Ruta de la seda estaba formada por varios caminos que se dirigían desde China hasta los puertos de Oriente Próximo y el Mediterráneo cruzando montañas y desiertos. Los comerciantes chinos transportaban a Occidente seda, porcelana y otros productos, y volvían a su país con oro, jade y caballos.

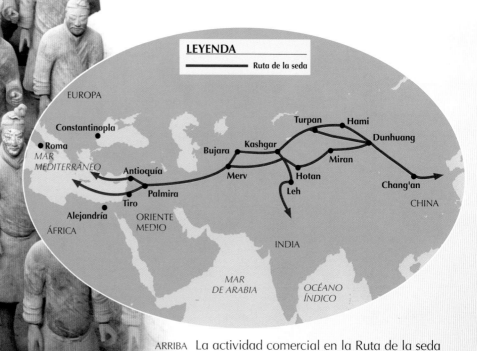

LEYENDA
Ruta de la seda

EUROPA
Constantinopla
Roma
MAR MEDITERRÁNEO
Antioquía
Palmira
Tiro
Alejandría
ÁFRICA
ORIENTE MEDIO
Bujara
Merv
Kashgar
Turpan
Hami
Dunhuang
Miran
Hotan
Leh
Chang'an
CHINA
INDIA
MAR DE ARABIA
OCÉANO ÍNDICO

ARRIBA La actividad comercial en la Ruta de la seda se desarrolló entre el año 100 a. C. y el siglo XV.

138

¿Qué inventaron los chinos?

Los chinos eran grandes inventores, e hicieron muchos descubrimientos importantes: inventaron los canales para transportar productos por todo el país y también la pólvora, el lanzallamas y el uso de bombas para la defensa. Además, desarrollaron la fabricación de papel y de billetes, y construyeron un sismógrafo para predecir los terremotos. ¡Y eso sin olvidar la seda, los fuegos artificiales y el fútbol!

IZQUIERDA
Los chinos hacían papel con plantas como el bambú.

¿Por qué se construyó la Gran Muralla?

La Gran Muralla fue construida como protección contra los invasores del Norte. Empezó siendo una serie de murallas independientes, que se unieron en torno al 220 a. C. En la muralla había muchas torres de vigilancia. Si un guardia detectaba un peligro, encendía un fuego para avisar a la siguiente torre, y así sucesivamente.

¿SABÍAS QUE...?
Los chinos también inventaron la pasta. Marco Polo, el gran explorador, trajo a Europa la receta de los fideos desde China en el siglo XIII.

LA EXPANSIÓN DEL ISLAM

¿Cuándo nació el islam?

El islam fue fundado por el profeta Mahoma en Oriente Próximo en el siglo VII, y en tan sólo 400 años logró una enorme expansión. Los gobernantes islámicos, llamados califas, contaban con poderosos ejércitos y conquistaron un territorio que se extendía desde Asia Central hasta el norte de África y España. Los seguidores del islam, los musulmanes, creen en un solo Dios, Alá.

ABAJO Este mapa muestra la expansión del islam en el año 1000.

EUROPA
ESPAÑA
● Córdoba
Cartago
SIRIA
Alejandría
Jerusalén
● Bagdad
PERSIA
EGIPTO
ÁFRICA
OMÁN
● La Meca
MAR DE ARABIA
YEMEN

ABAJO La Gran Mezquita de La Meca puede albergar a un millón de fieles.

¿SABÍAS QUE...?
En un palacio de Bagdad, había un árbol enorme de oro y plata repleto de pájaros mecánicos de oro. Los pájaros cantaban para animar al califa cuando estaba triste.

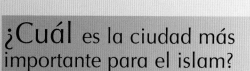

¿Cuál es la ciudad más importante para el islam?

La Meca, situada en la Arabia Saudí actual, es la ciudad más sagrada del islam. Allí nació el profeta Mahoma en el año 570. Cada año millones de musulmanes emprenden un peregrinaje sagrado a La Meca llamado *hayy*. Todo musulmán debe visitar La Meca al menos una vez en la vida.

¿Cómo era el arte musulmán?

Como el islam prohíbe la representación de personas y animales, el arte musulmán desarrolló un estilo propio. Los edificios, la cerámica y las alfombras se decoraban con dibujos de flores y hojas, diseños geométricos o una caligrafía (escritura) muy elaborada. Los textos solían ser citas del Corán. Los libros se decoraban de la misma forma.

ARRIBA Las paredes de la Alhambra de Granada están decoradas con caligrafía y dibujos esculpidos.

¿Dónde rezan los musulmanes?

ABAJO La Mezquita de la Roca de Jerusalén es un lugar sagrado para los musulmanes. La cúpula está recubierta de oro.

Los musulmanes rezan en unos edificios sagrados que reciben el nombre de mezquitas. Allí estudian también el libro sagrado del islam, el Corán. Como el islam está presente en todo el mundo, hay muchos tipos de mezquitas, pero la mayoría tienen un patio rodeado de cuatro paredes. En muchas de ellas hay una torre llamada minarete desde donde el muecín llama a los fieles a la oración.

LA EDAD MEDIA

¿Qué es la Edad Media?

La Edad Media es un largo periodo de la historia que abarca del año 410 al 1500 d. C. y separa la Antigüedad de la Edad Moderna. Este periodo se inicia con la caída del Imperio romano y acaba en el Renacimiento, momento en que resurge el interés por la Antigüedad clásica.

¿Cómo era la vida en la Europa medieval?

En la Edad Media la vida estaba organizada según el sistema feudal. La Iglesia y los reyes ocupaban la parte superior del sistema y poseían la mayoría de las tierras. Luego venían los nobles, que luchaban por los reyes y recibían a cambio tierras y castillos. En la parte más baja estaban los siervos, que trabajaban la tierra para los nobles.

ARRIBA En la Edad Media se construyeron muchos edificios con gran ornamentación, como esta catedral de estilo gótico.

¿Qué hacían los caballeros?

Los caballeros eran soldados de los ejércitos de los nobles y reyes y vivían en los castillos. Montaban a caballo y llevaban armadura. Cuando el castillo era atacado, los caballeros estaban en la primera línea defensiva, aunque los asaltantes debían salvar primero el foso (una zanja llena de agua) y escalar los altos muros.

¿SABÍAS QUE...?
Las leyendas sobre proscritos como Robin Hood estaban muy de moda en esta época porque la gente pobre vivía mal y los ricos señores feudales tenían mala fama.

¿Qué fueron las Cruzadas?

Las Cruzadas fueron una serie de guerras entre musulmanes y cristianos por el control de la zona que rodea la ciudad santa de Jerusalén, dominada por los musulmanes. En 1095 el máximo representante de la Iglesia católica, el papa Urbano II, ordenó a los ejércitos cristianos de Europa que recuperaran Jerusalén y Tierra Santa. Tras algunos éxitos, en el siglo XIII los cristianos perdieron ante los musulmanes.

IZQUIERDA Saladino lideró el ejército musulmán que recuperó Jerusalén de manos de los cristianos en 1187.

143

LOS REINOS AFRICANOS

Las ruinas del Gran Zimbabue se pueden visitar.

¿Cuál era el reino más grande de África?

El reino de Shona, en el sudeste de África, controló un gran imperio entre los años 1200 y 1600 d. C. Los reyes construyeron la ciudad fortificada de Gran Zimbabue, rodeada de muros de 20 metros. Los habitantes de la ciudad extraían oro de las minas cercanas y cultivaban la tierra. La ciudad era además un importante centro religioso.

¿SABÍAS QUE...?
Malí, en el norte de África, recibía el apodo de «tierra de oro». Un visitante del siglo XI vio gorros, sillas, escudos y espadas de oro, e incluso collares de perro decorados con oro y plata.

DERECHA El *dhow* era el barco con el que se comerciaba, y hoy día sigue en uso.

¿Cómo se enriquecieron las ciudades africanas?

Las ciudades africanas vendían marfil, oro, sal y esclavos a los comerciantes árabes. Transportaban los productos en barco por los principales ríos o en largas caravanas de camellos por el desierto. Algunas de ellas se hicieron tan poderosas que controlaban grandes extensiones de tierras.

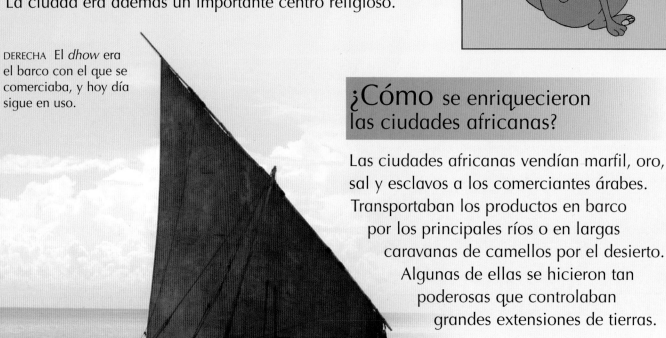

¿Qué son los bronces de Benín?

Los bronces de Benín son estatuas y máscaras de latón y bronce. Proceden de la zona de la actual Nigeria, en África Occidental, y decoraban el suntuoso palacio del rey y los altares de la familia. El reino de Benín alcanzó su esplendor entre 1400 y 1900 gracias a la venta de pimienta, marfil y pieles de leopardo a Europa. Muchos bronces muestran escenas de la vida cortesana, con la representación de reyes con sus esposas, sirvientes y soldados.

¿Dónde hay iglesias excavadas en la roca?

Hasta nuestros días han llegado las iglesias talladas en la roca de Etiopía (África Oriental). La población etíope es cristiana desde el siglo IV d. C. La construcción de las once iglesias de la antigua ciudad de Labilela duró 24 años. Algunas están bajo el nivel del suelo, conectadas por una red de túneles y galerías.

ARRIBA Miles de peregrinos siguen visitando las iglesias talladas en roca de Etiopía.

LOS EMPERADORES INDIOS

¿Qué es el Imperio mogol?

El Imperio mogol dominó la mayor parte de la India entre 1526 y 1857. Los mogoles procedían de Mongolia y eran musulmanes, a diferencia de la mayor parte de la población india de la época, que era hindú. El emperador mogol más brillante fue Akbar, que subió al trono con sólo 13 años. Conquistó territorios y convirtió la India en un país muy rico.

DERECHA Los mogoles erigieron muchos e imponentes palacios. «Mogol» es lo mismo que «mongol» y significa procedente de Mongolia.

¿Quién fue el primer emperador?

El primer emperador mogol, descendiente del famoso Gengis Khan, fue Babur, quien invadió la India a principios del siglo XVI. Pese a su crueldad en el campo de batalla, fue un buen gobernante. Escribía poesía y quería un imperio en paz. Permitió la construcción de templos hindúes y prohibió matar vacas, sagradas para los hindúes.

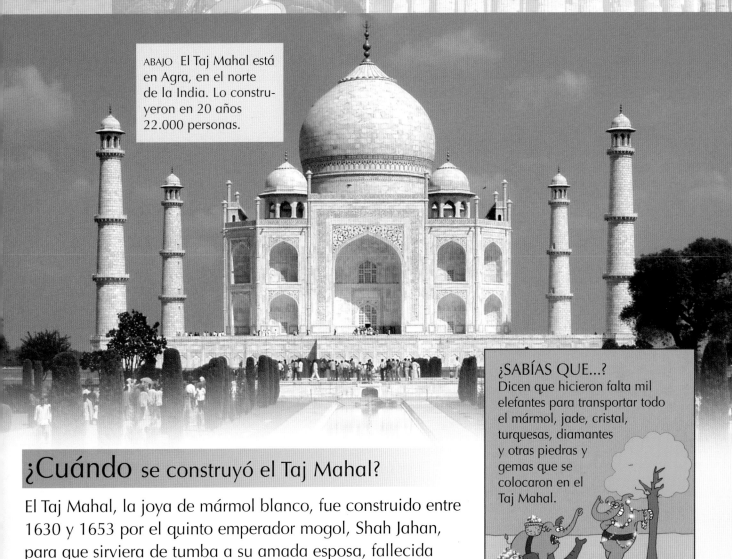

ABAJO El Taj Mahal está en Agra, en el norte de la India. Lo construyeron en 20 años 22.000 personas.

¿Cuándo se construyó el Taj Mahal?

El Taj Mahal, la joya de mármol blanco, fue construido entre 1630 y 1653 por el quinto emperador mogol, Shah Jahan, para que sirviera de tumba a su amada esposa, fallecida al dar a luz a su decimoquinto hijo. Con sus riquezas y con artesanos de todo el imperio, los emperadores mogoles construyeron imponentes fuertes, mezquitas y tumbas.

¿Qué extensión tenía el Imperio mogol?

Durante el reinado de Aurangzeb, entre 1658 y 1707, el Imperio mogol alcanzó su máxima expansión, con una extensión muy parecida a la de la India actual. Después empezó a dividirse a causa de las guerras e invasiones. A finales del siglo XVIII los mogoles sólo controlaban una pequeña zona alrededor de Delhi. El último emperador fue Bahadur Sha II, que reinó desde 1837 hasta que los británicos lo expulsaron, en 1857.

¿SABÍAS QUE...?
Dicen que hicieron falta mil elefantes para transportar todo el mármol, jade, cristal, turquesas, diamantes y otras piedras y gemas que se colocaron en el Taj Mahal.

ABAJO Mapa del Imperio mogol durante el reinado de Aurangzeb.

AFGANISTÁN
Amritsar
NEPAL
Delhi
Agra
INDIA
Calcuta
Mumbai
BAHÍA DE BENGALA
Goa
Chennai
OCÉANO ÍNDICO
CEILÁN
(actualmente Sri Lanka)

LA ERA DE LA EXPLORACIÓN

¿Qué es la era de la exploración?

La era de la exploración, entre los siglos XVI y XVIII, fue el periodo en el que los europeos empezaron a viajar al resto del mundo. Navegaban en unos enormes barcos llamados galeones en busca de riquezas, como especias, plata y oro. Los exploradores llevaban consigo a geógrafos que trazaban mapas y religiosos que predicaban su fe.

ABAJO Los primeros exploradores navegaron hasta Norteamérica y Sudamérica. Otros rodearon África y llegaron al Océano Índico.

NORTEAMÉRICA

EUROPA

ASIA

OCÉANO PACÍFICO

ÁFRICA

OCÉANO ÍNDICO

SUDAMÉRICA

OCÉANO ATLÁNTICO

LEYENDA
Exploradores ingleses
Exploradores franceses
Exploradores portugueses
Exploradores españoles

IZQUIERDA
Barbanegra fue un pirata muy célebre. Se encendía cerillas en la barba para asustar a los enemigos en las batallas.

¿SABÍAS QUE...?
En el siglo XV la gente pensaba que el mundo era plano. Creían que los barcos caerían al vacío si iban demasiado lejos.

¿Quiénes fueron los auténticos piratas del Caribe?

Los auténticos piratas del Caribe eran ladrones que asaltaban barcos en alta mar. Disparaban y abordaban los galeones que transportaban mercancías valiosas a Europa, y luego vendían la carga. Obligaban a los marineros a subirse a un tablero y saltar al mar, a una muerte segura.

¿Cómo eran los galeones?

ARRIBA En el castillo de la parte trasera del galeón estaban las habitaciones del capitán y los oficiales.

Los galeones eran naves enormes con castillos, o torres, en proa y popa. Tenían tres o cuatro mástiles muy altos y varias cubiertas. En una de ellas estaban las armas y los cañones. Los marineros rasos dormían en hamacas en las cubiertas inferiores, y los barcos estaban sucios y llenos de ratas.

¿Qué comían los exploradores?

Los exploradores comían alimentos en conserva (secos, salados, ahumados o encurtidos), porque los frescos no resistían las largas travesías. A causa de la falta de fruta y verduras frescas, muchos marineros enfermaban de escorbuto: se les caían los dientes y tenían muchos dolores.

ABAJO Los británicos daban a los marineros naranjas y limas para prevenir el escorbuto, enfermedad muy frecuente entonces.

EL DESCUBRIMIENTO DE AMÉRICA

ARRIBA Cristóbal Colón capitaneaba la *Santa María*, uno de los tres barcos de su flota.

¿Cuándo descubrieron América los europeos?

Seguramente los primeros europeos en llegar a las Américas fueron los vikingos, que se establecieron en la costa noroeste de Norteamérica en el siglo XI. Sin embargo, es mucho más famosa la llegada de Cristóbal Colón, en 1492. Buscando una nueva ruta entre Europa y Asia, desembarcó en una isla del Caribe. Colón creía que estaba en las Indias Orientales, cerca de Japón o China, y por eso llamó indios a los nativos.

¿Quiénes eran los padres peregrinos?

Los colonos eran los primeros ingleses que viajaron a Norteamérica en 1620 en busca de un sitio donde practicar su religión libremente y donde vivir según sus propias normas. Muchos colonos murieron a lo largo del primer invierno. El año siguiente los supervivientes y los nativos de una tribu del lugar celebraron la primera cosecha con lo que llamaron Acción de Gracias.

ABAJO Los padres peregrinos (puritanos) vivían en cabañas sencillas, muy parecidas a las de esta reconstrucción.

ARRIBA La Declaración de Independencia es un documento
que los líderes estadounidenses firmaron el 4 de julio de 1776.

¿Qué son los Estados Unidos de América?

Los Estados Unidos de América (EE.UU.) están formados por
50 estados o regiones. La primera vez que se utilizó el
nombre fue en la Declaración de Independencia de 1776,
cuando los americanos se declararon independientes del
Imperio británico, lo que provocó una guerra. Al final, los
americanos consiguieron la independencia y el derecho a

¿Por qué hubo una guerra civil?

Una de las principales causas
de la Guerra de Secesión de
1861 a 1865 fue la esclavitud.
En ese momento, en el norte
todo el mundo era libre,
mientras que en el sur los
negros seguían siendo
esclavos. Cuando el sur
intentó crear un estado
propio, el norte proclamó
la guerra para conservar
la unidad. En 1863 el
norte anunció que, si
ganaba la guerra, liberaría
a los esclavos.

LA REVOLUCIÓN INDUSTRIAL

¿Qué fue la revolución industrial?

La revolución industrial fue el momento en que las máquinas empezaron a realizar el trabajo que hasta entonces hacían las personas. El cambio se inició en Gran Bretaña a finales del siglo XVIII y se extendió por todo el mundo. Uno de los grandes avances fueron los telares de vapor para fabricar telas de forma rápida y barata.

DERECHA La invención del motor de vapor supuso una nueva forma de accionar las máquinas.

¿Cuándo se construyeron las primeras fábricas?

Las primeras fábricas se levantaron en torno a 1770 para albergar las grandes máquinas de la revolución industrial. En ellas trabajaban con las máquinas un gran número de personas. Mucha gente pobre del campo buscó trabajo en las fábricas y se trasladó a unas ciudades superpobladas, donde las condiciones de vida eran muy duras.

¿Cuál fue el papel del ferrocarril?

El ferrocarril fue uno de los motores de la revolución industrial porque permitía transportar carbón y materias primas a las fábricas y después comercializar los productos acabados. Además, con el tren la gente podía desplazarse por el país para buscar trabajo. La primera línea de pasajeros del mundo unió las ciudades inglesas de Stockton y Darlington en 1825.

¿SABÍAS QUE...?
Antes del ferrocarril el carbón se llevaba de las minas a las fábricas en barco por canales. Entre 1760 y 1840 se construyeron casi 7.000 km de canales en Gran Bretaña.

¿Dónde trabajaban los niños?

En la Gran Bretaña del siglo XIX muchos niños trabajaban en fábricas y minas de carbón. Incluso niños de 5 años cumplían con jornadas laborales de hasta 16 horas al día. A menudo sus jefes los maltrataban, y sufrían accidentes. En 1833 el Gobierno británico aprobó una ley para impedir que se empleara en las fábricas a menores de 9 años.

DERECHA En las minas, los niños arrastraban carros llenos de carbón por túneles muy estrechos.

SIGLOS XX Y XXI

¿Cuándo estalló la guerra en el mundo?

Más de ocho millones de soldados de ambos bandos murieron en la I Guerra Mundial, de 1914 a 1918. Fue tan terrible que mucha gente pensó que ya nunca volvería a suceder. Sin embargo, la guerra asoló de nuevo el mundo entre 1939 y 1945. La II Guerra Mundial terminó cuando Estados Unidos lanzó sobre Hiroshima la primera bomba atómica, que mató a 140.000 personas.

¿Qué fue la guerra fría?

La guerra fría fue un periodo de gran tensión entre Estados Unidos y la Unión Soviética después de la II Guerra Mundial. Estos dos poderosos estados tenían diferentes sistemas políticos y temían que el otro les impusiera su forma de vida. Aunque la Unión Soviética y Estados Unidos no llegaron a las armas, muchos pensaban que la tensión podía terminar en una guerra.

ABAJO El muro de Berlín dividía la ciudad alemana en un sector soviético y otro aliado. Fue derribado en 1989, con el fin de la guerra fría.

¿Qué cambios políticos se han producido?

En los últimos cien años la configuración política del mundo ha cambiado en gran medida. Muchos países que estaban gobernados por naciones europeas se han independizado, y en otros se han derrocado regímenes que oprimían a determinados grupos de gente, como el *apartheid* de Sudáfrica.

ARRIBA El sistema del *apartheid* negaba los derechos humanos a los sudafricanos negros. En 1990 fue liberado el activista antiapartheid Nelson Mandela, lo que marcó el fin del sistema opresivo.

¿SABÍAS QUE...?
Si alguien de 1900 pudiera viajar hasta el presente quedaría fascinado por todo lo que se ha inventado, por ejemplo, los ordenadores y el avión.

¿Por qué es más pequeño el mundo?

Hay gente que dice que el mundo es cada día más pequeño por los avances en los sistemas de transporte y las comunicaciones. Con los teléfonos y los ordenadores la información llega a la otra punta del planeta en un momento. Y gracias a aviones, coches y trenes podemos recorrer miles de kilómetros más rápido que nunca.

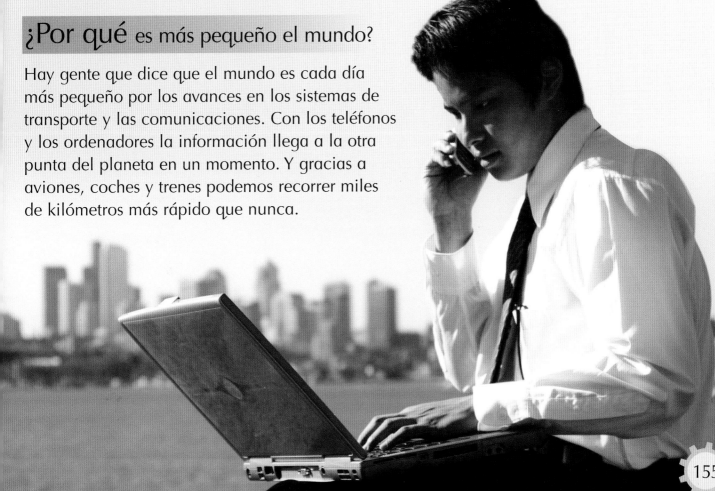

PUEBLOS
Y LUGARES

Nuestro planeta es increíblemente variado, y no sólo por la gran cantidad de animales y espacios naturales que existen, sino también por las personas y los lugares en que viven. Esta variedad hace del mundo un lugar rico y fascinante. En todos los países las personas comen diferente, escuchan música distinta, visten de otra forma y tienen otras creencias. Sin embargo, hay algo en lo que todas las personas se parecen: todo el mundo intenta ser feliz.

UNA VUELTA AL MUNDO

¿Cuántas personas hay en el mundo?

En el mundo hay más de 6.500 millones de personas. Hoy día mucha gente goza de mejor salud y alimentación que en el pasado, y por eso se vive más tiempo. Y como se vive más tiempo, el número de nacimientos es superior al número de personas que mueren. Por tanto, la población del planeta aumenta.

¿SABÍAS QUE...?
El país más pequeño del mundo es Ciudad del Vaticano, en Roma. No supera las 40 hectáreas o, lo que es lo mismo, 50 campos de fútbol.

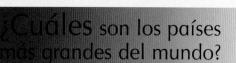

¿Cuáles son los países más grandes del mundo?

Los países más grandes del mundo por superficie son Rusia, Canadá, Estados Unidos y China. Rusia es casi el doble de grande que Canadá y tiene una gran variedad de paisajes, desde llanuras hasta cordilleras. El lago ruso Baikal, el más profundo del mundo, contiene una quinta parte del agua dulce de la Tierra.

ABAJO La espectacular catedral de San Basilio de Moscú, la capital del país más grande del mundo: Rusia.

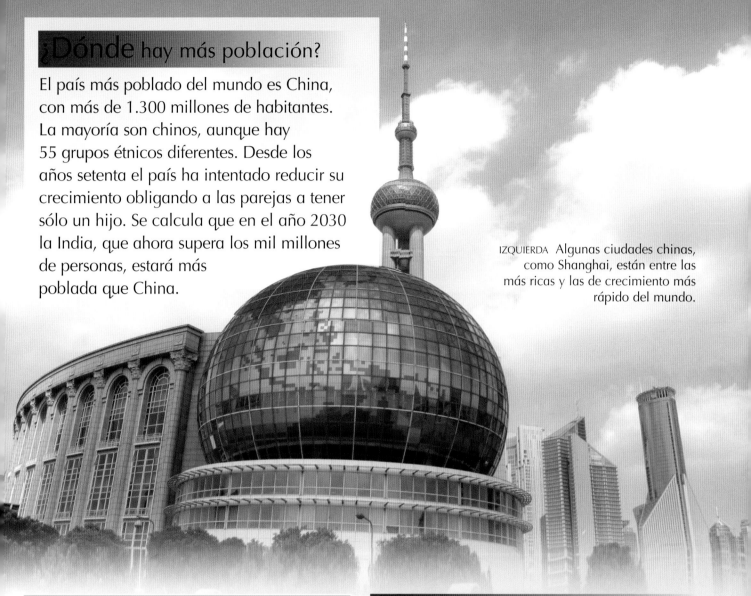

¿Dónde hay más población?

El país más poblado del mundo es China, con más de 1.300 millones de habitantes. La mayoría son chinos, aunque hay 55 grupos étnicos diferentes. Desde los años setenta el país ha intentado reducir su crecimiento obligando a las parejas a tener sólo un hijo. Se calcula que en el año 2030 la India, que ahora supera los mil millones de personas, estará más poblada que China.

IZQUIERDA Algunas ciudades chinas, como Shanghai, están entre las más ricas y las de crecimiento más rápido del mundo.

HUNGRÍA

ESLOVENIA

● Zagreb

CROACIA

RUMANÍA

BOSNIA

Belgrado ●

SERBIA

Sarajevo ●

MONTENEGRO

MAR ADRIÁTICO

KOSOVO

ITALIA

MACEDONIA

¿Cuándo se forman nuevos países?

A veces un nuevo país se forma cuando dos o más países independientes se unen, mientras que otros nacen cuando una zona se separa de un territorio más grande. Eso ocurrió en los años noventa cuando Yugoslavia empezó a dividirse en países independientes (izquierda). En el pasado hubo países que conquistaron otras tierras y las gobernaron dentro de un imperio. Cuando los imperios se derrumbaron, esas tierras alcanzaron la independencia.

DÓNDE VIVEN LAS PERSONAS

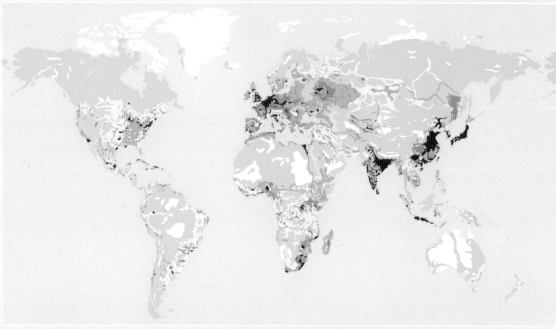

LEYENDA

■ MÁS DE 1.300

■ 650-1.300

260-650

130-260

65-130

5-65

MENOS DE 5

0

IZQUIERDA
Mapa que muestra la densidad de población, es decir, cuántas personas viven en las distintas regiones del mundo por kilómetro cuadrado.

¿Está bien repartida la población mundial?

No, porque muchos sitios están vacíos y otros, como la ciudad de Tokio, en Japón, están superpoblados. La mayoría de la gente de Norteamérica, Europa y Australia vive en ciudades, mientras que en otras regiones se vive más en el campo. Las ciudades están en constante crecimiento porque reciben a muchas personas en busca de trabajo.

¿Vive gente en las montañas?

En muchos países hay gente que vive en las montañas, por lo que tienen que recorrer carreteras empinadas y soportar inviernos muy duros. Las personas han aprendido a vivir en todo tipo de lugares, incluso a cultivar terrenos en pendientes construyendo terrazas (izquierda).

¿Son iguales las casas en todo el mundo?

No: en muchos sitios las casas tienen que construirse en función del clima, el terreno o el número de ocupantes. En lugares que se inundan a menudo, las casas se construyen sobre pilares de madera para evitar el contacto con el agua. En las montañas las casas tienen el tejado muy inclinado para que no se acumule la nieve.

ARRIBA Pueblo de Camboya construido sobre pilares de madera.

¿Qué es un nómada?

Un nómada es una persona que no vive siempre en el mismo lugar. En algunas zonas de Asia los nómadas viajan buscando pastos frescos para sus animales. En África se desplazan para buscar nuevos manantiales de agua. En Europa hay grupos de gitanos y otros nómadas que viven en caravanas y viajan de un sitio a otro.

DERECHA
La yurta es el tipo de casa portátil de los pueblos nómadas de Mongolia.

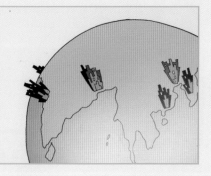

¿SABÍAS QUE...?
Una megalópolis es una ciudad con más de 10 millones de habitantes. Actualmente hay unas 20 en todo el mundo.

GOBIERNOS

¿Dónde están los gobiernos?

Los gobiernos están situados en la capital de su país. Los representantes políticos de toda la nación se reúnen en edificios de la capital para tomar decisiones y debatir diferentes temas, como las nuevas leyes. Como la capital es la ciudad principal, también otras instituciones económicas y financieras tienen allí su sede. Muchas capitales son enormes, como Ciudad de México, que tiene casi 20 millones de habitantes.

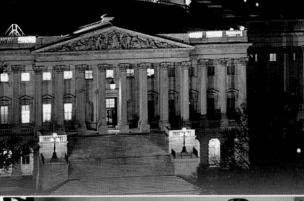

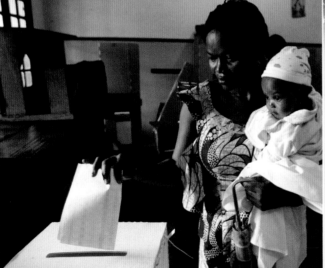

ARRIBA En Washington D. C. está el Gobierno de Estados Unidos, en el edificio del Capitolio.

¿Por qué vota la gente?

En las elecciones, la gente vota para elegir a sus líderes, que formarán el Gobierno. En lo que llamamos democracia, los votantes pueden elegir entre varios líderes, que trabajan para el pueblo. Lo contrario de una democracia es una dictadura, un sistema que no permite elegir a los líderes y en que una sola persona dirige todo el país.

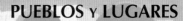

DERECHA Los gobiernos toman decisiones tras debates como este, en la Cámara de los Comunes del Reino Unido.

¿SABÍAS QUE...?
El primer país del mundo que otorgó a las mujeres el derecho al voto fue Nueva Zelanda, en 1893. La siguió Australia, en 1902.

¿Qué hacen los gobiernos?

Los gobiernos dirigen los países. Elaboran leyes y defienden el territorio con el ejército. Gestionan los servicios públicos, como la educación y la sanidad. Para hacerlo, obtienen dinero cobrando impuestos a la gente. El jefe del Gobierno suele ser el presidente o el primer ministro.

¿Quedan países gobernados por reyes?

Todavía quedan unos cuantos países en el mundo gobernados personalmente por un rey, como Arabia Saudí. Sin embargo, la mayoría de los reinos que se mantienen son democracias en las que el rey o la reina son los jefes del Estado pero el Gobierno está en manos de personas elegidas por los votantes. Por lo menos hay 50 reyes y reinas en el mundo. Los reyes heredan el título al morir o abdicar el anterior.

IZQUIERDA El rey Carlos Gustavo y la reina Silvia de Suecia, país dirigido por un Gobierno democrático.

EL TRABAJO

ARRIBA
Una cosechadora siega los campos de trigo de las grandes llanuras del medio oeste de Estados Unidos.

¿Dónde están las granjas más grandes?

Las granjas más grandes del mundo están en Estados Unidos y Canadá. En Estados Unidos, por ejemplo, los agricultores tienen extensos cultivos de trigo. Para poder producir tanto, necesitan máquinas modernas y productos químicos que erradiquen las malas hierbas y las plagas de insectos. Este tipo de agricultura se llama agricultura intensiva.

¿Cuál es la red de pesca más grande?

Hay enormes barcos pesqueros, con redes tan anchas como un campo de fútbol que arrastran por el mar para capturar peces. La pesca es una industria importante para mucha gente de todo el mundo. Unos tres millones de personas trabajan en barcos pesqueros, y capturan tanto pescado que en algunas zonas marítimas quedan ya muy pocos peces.

¿Dónde está la fábrica más activa del mundo?

A veces se dice que China es la fábrica más grande del mundo. En una fábrica se producen muchas unidades de un mismo producto para venderlas. De China procede una gran parte de lo que se compra en el mundo, como ropa, relojes y teléfonos móviles. Casi la mitad de las cámaras y un tercio de los televisores del mundo se fabrican en China.

¿Es importante el turismo?

El turismo es una industria importante en todo el mundo porque ocupa a muchas personas en lugares como hoteles y restaurantes. También supone un considerable ingreso de dinero. El destino preferido por los turistas extranjeros es París, en Francia. La gente va allí a ver los famosos museos y palacios y la Torre Eiffel.

¿SABÍAS QUE...?
Algunas granjas de Australia son tan grandes que se va a vigilar a los animales en avioneta en lugar de a pie o en tractor.

IZQUIERDA
La Torre Eiffel de París, en Francia, genera mucho dinero por el turismo.

RICOS Y POBRES

¿Por qué unos países son más ricos que otros?

Muchas razones explican por qué hay países más ricos. Un país puede, por ejemplo, tener recursos naturales valiosos, como petróleo, carbón, madera o diamantes. El país puede explotar esos recursos y venderlos tal cual, o bien transformarlos en productos con los que comerciar. Sin embargo, hay que recordar que incluso en los países ricos hay personas pobres.

DERECHA Esta refinería de petróleo produce barriles de crudo que el país vende.

¿Cuánta gente pasa hambre?

Los expertos calculan que en el mundo hay 850 millones de personas que no tienen suficiente comida. En ciertos casos es porque el país es tan seco que resulta imposible cultivar alimentos. A veces ocurre también que un país está en guerra y tiene interrumpido el suministro de víveres. La mayoría de las personas desnutridas son pobres y viven en países subdesarrollados.

¿Qué son las chabolas?

Las chabolas son casas construidas con materiales de desecho, como trozos de madera, hierro o plástico. Suelen estar en los suburbios y sus habitantes son personas que llegaron a la ciudad para buscar trabajo pero que viven en la pobreza, a menudo sin agua corriente. A veces se declaran incendios porque se hace fuego para cocinar y calentarse.

¿Quién ayuda a los necesitados?

Hay gente que trabaja para asociaciones benéficas que recogen dinero para ayudar a los necesitados a rehacer su vida. Por ejemplo, pueden dar a los agricultores herramientas o semillas, o enseñar un oficio. También ayudan a educar a los niños de los países menos desarrollados, para que de mayores puedan encontrar trabajo.

167

EL TRANSPORTE

¿Cuál es el tren más rápido?

El tren Maglev es el más rápido del mundo y circula por la ciudad china de Shanghai. Es un tren que flota por encima de una vía magnética y que puede alcanzar los 400 kilómetros por hora. Muchas de las personas que toman el tren lo hacen para ir a trabajar a la ciudad cada mañana. En Tokio, la capital de Japón, nueve de cada diez trabajadores van a la oficina en tren.

ABAJO En Estados Unidos hay tanta gente con coche propio que se producen enormes atascos.

¿Cuántos vehículos hay en el mundo?

Hay unos mil millones de vehículos de motor circulando por las carreteras. Coches, autobuses y otros vehículos, como los aviones, emiten gases que contaminan el aire y alteran el equilibrio de los gases de la atmósfera, lo que provoca el calentamiento global.

¿Cuál es el aeropuerto con más tráfico?

El aeropuerto de Atlanta, en Estados Unidos, es el que tiene más tráfico, porque por él pasan más pasajeros que por ningún otro: más de 88 millones de personas al año. Cada día más gente viaja en avión. El avión de pasajeros más rápido que ha habido fue el Concorde, que volaba de Londres a Nueva York en sólo tres horas.

¿SABÍAS QUE...?
En la ciudad china de Beijing hay más de ocho millones de bicicletas, y en todo el mundo hay más de mil millones.

ARRIBA Los aviones contaminan muchísimo.

¿Cuál es el medio de transporte más habitual?

La bicicleta es el medio de transporte más habitual del mundo y se utiliza sobre todo en países donde la gente no se puede comprar un coche. Permite llevar cargas y circular por donde no hay carretera, aunque también hay quien va en bicicleta para mantenerse en forma o reducir la contaminación.

EN CONTACTO

¿Cuándo nos comunicamos?

La comunicación se produce cuando intercambiamos señales, y lo hacemos todos los días. Nos comunicamos hablando y escribiendo, con gestos y con las expresiones de nuestro rostro. Las personas con problemas de oído se comunican con un lenguaje especial basado en signos, y también pueden leer los labios cuando la gente habla.

¿Cuántos idiomas existen?

En el mundo hay 8.000 lenguas. En muchos países un idioma nacional convive con uno o varios dialectos (formas de hablar) locales. El idioma con más hablantes es el chino (mandarín). Fuera de China, el idioma más hablado es el inglés.

DERECHA En Irlanda hay señales escritas en inglés y gaélico, la antigua lengua de Irlanda.

¿Quién lee de derecha a izquierda?

Las personas que leen libros en árabe o hebreo lo hacen de derecha a izquierda. Hay lenguas, como el japonés, que se escriben de arriba abajo, y los alfabetos varían en función de los idiomas. El alfabeto español tiene 29 letras, mientras que el camboyano tiene 74.

IZQUIERDA En China y Japón mucha gente practica la caligrafía, el arte de escribir bien las palabras.

¿SABÍAS QUE...?
El esperanto es una lengua que no se habla en ningún país. Se inventó hace unos cien años para que fuera un idioma internacional.

¿Cómo viajan las llamadas telefónicas?

Los satélites espaciales de comunicaciones recogen las señales del teléfono y las envían a receptores situados en otra parte del mundo. Así podemos hablar al instante con gente que está lejos. Las conexiones de Internet también son vía satélite, y por eso todo el mundo puede estar en contacto mediante correo electrónico.

Satélite

Receptor

RELIGIONES DEL MUNDO

¿Dónde rezan los cristianos?

Los cristianos se reúnen en la iglesia, donde rezan, a veces cantan, y escuchan las lecturas de la Biblia. También se celebran sacramentos, como la Eucaristía, en los que un cura ofrece a los fieles vino y pan como símbolo de la última cena que Jesucristo compartió con sus discípulos.

ARRIBA Iglesia del Santo Sepulcro de Jerusalén, ciudad considerada santa por cristianos, musulmanes y judíos.

ABAJO El Muro de las Lamentaciones, en Jerusalén, es sagrado para los judíos y es lo único que queda de un antiguo templo.

¿Qué es una sinagoga?

La sinagoga es el edificio donde se reúnen los practicantes de la religión judía. Los judíos creen que existe un único dios que creó el universo. Los sábados se reúnen en la sinagoga para participar en un servicio. Los jefes espirituales judíos son los rabinos, y se ocupan de dirigir la oración y leer la Tora, el libro sagrado judío.

¿Cuántas veces al día rezan los musulmanes?

Los musulmanes, seguidores de una religión llamada islam, rezan cinco veces al día. Pueden hacerlo en cualquier sitio, pero se considera mejor rezar con otras personas en la mezquita, su lugar de culto. Según esta religión, sólo existe un dios, llamado Alá. Sus leyes se basan en las enseñanzas del libro sagrado, el Corán.

DERECHA Musulmán rezando.

¿Quiénes son los hombres santos hindúes?

Los hombres santos del hinduismo, los *saddhus,* dedican su vida a la religión. No tienen propiedades, viajan de un sitio a otro y comen lo que otros hindúes les ofrecen. Los hindúes veneran imágenes de sus dioses en los templos. En casa tienen también un altar en el que realizan ofrendas de comida o flores a sus dioses.

¿SABÍAS QUE...?
Los budistas han erigido por todo el mundo estatuas de Buda, su maestro. Algunas son tres veces más altas que la Estatua de la Libertad de Nueva York.

ABAJO Hombres santos hindúes en la India rezando ante un altar.

173

FIESTAS Y DÍAS ESPECIALES

¿Qué es la Pascua judía?

La Pascua judía o Pésaj es una fiesta que los judíos celebran con plegarias y comidas especiales. Empieza con el Seder, una comida que recuerda la historia del Pésaj. La fiesta dura ocho días y rememora la liberación de los judíos de la esclavitud en Egipto gracias al profeta Moisés.

¿Cuándo es el año nuevo chino?

Para los chinos, el año empieza en febrero. Antes de las celebraciones, la gente limpia la casa para ahuyentar a los malos espíritus y, después, comparten comidas, intercambian regalos y lanzan fuegos artificiales. También hay bailes con disfraces de dragones y leones. El dragón, símbolo de fuerza, repele el mal y trae buena suerte.

DERECHA Niñas pintando huevos de Pascua con colores.

¿Por qué hay huevos de chocolate en Pascua?

El domingo de Pascua se celebra el día en que Jesucristo resucitó después de haber sido crucificado, y el huevo simboliza esa nueva vida. La Pascua es la fiesta principal del calendario cristiano. En las iglesias, los cristianos la conmemoran cantando canciones especiales.

¿Qué es el festival de las luces?

El festival de las luces, llamado Diwali, celebra la llegada del año nuevo hindú, entre octubre y noviembre. Dura cinco días, en los que se cuentan historias que conmemoran la victoria del bien sobre el mal y del conocimiento sobre la ignorancia. Los edificios se decoran con velas y luces de colores y se preparan deliciosas comidas.

175

ARTE Y MÚSICA

¿Qué cuentan las danzas?

En muchas culturas del mundo las danzas sirven para contar historias. En la India, las danzas *kathakali* hablan de dioses y demonios. Algunos ballets, como *El Cascanueces*, narran cuentos mediante movimientos. Hay danzas que expresan sentimientos y otras que son simplemente para divertirse.
Algunas son propias de fiestas especiales, como bodas.

DERECHA La danza *kathakali* es una espectacular mezcla de teatro, danza, música y ritual.

¿Qué es el teatro callejero?

El teatro callejero son las obras que se representan en espacios públicos al aire libre, como centros comerciales. En un teatro real hay luces y mucho espacio para guardar los accesorios y el vestuario, mientras que en el teatro callejero los actores tienen pocos medios. Para ir al teatro se compra la entrada antes; en cambio, en la calle, el público decide lo que vale la obra una vez que ha terminado.

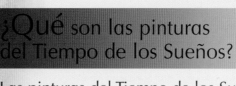

¿Qué son las pinturas del Tiempo de los Sueños?

Las pinturas del Tiempo de los Sueños son obras de los aborígenes de Australia. Mediante muchos puntos, los artistas trazaban símbolos y formas que describían el pasado, antes de la llegada del hombre, cuando los dioses crearon ríos, rocas y montañas. Estas pinturas son impactantes porque cuentan historias sin palabras.

¿SABÍAS QUE…?
El instrumento musical más antiguo de todos es la voz humana. La gente siempre ha cantado canciones, a veces incluso en coros de centenares de voces.

IZQUIERDA Los tambores metálicos aparecieron en Trinidad y Tobago por la influencia de los tambores africanos.

¿Qué es la música étnica?

La música étnica es la que, aun teniendo fama internacional, constituye el sonido tradicional de un país. A veces, la música tradicional tiene relación con un instrumento concreto, como el gamelan indonesio, un conjunto de xilófonos de bronce. En España, el flamenco se basa en la guitarra. En Jamaica las bandas de tambores metálicos crean una música enormemente rica.

177

LOS NIÑOS EN EL MUNDO

¿A qué juegan los niños?

En el mundo los niños juegan a muchos juegos diferentes. Algunos, como las canicas, el fútbol y otros juegos de pelota, se conocen en casi todas partes. Pero en algunos países los niños juegan con juguetes o videojuegos muy caros, mientras que en otros, como en algunos de África, muchos se tienen que fabricar juguetes con latas y cables que encuentran por ahí.

DERECHA Este niño americano practica el lanzamiento de béisbol, un deporte nacional en Estados Unidos.

¿Por qué algunos trabajan?

Algunos niños trabajan para ayudar a sus padres, por ejemplo, en granjas antes de ir al colegio. Hay niños que trabajan todo el día y no estudian, a veces porque sus padres son pobres y necesitan dinero. En muchos países eso es ilegal, y los jóvenes sólo pueden trabajar a tiempo parcial.

¿Cuándo empieza la escuela?

La edad a la que los niños empiezan a ir a la escuela varía de un país a otro. En la India se va a partir de los cinco años, pero en Noruega y Rusia no se empieza hasta los siete. En la escuela, los niños aprenden a leer y escribir, aunque en algunos casos puede que sea en un idioma diferente del que hablan en casa.

¿SABÍAS QUE…?
La edad legal a la que un chico se considera adulto varía según el país. En Irán es a los 15 años, en Estados Unidos y Europa, a los 18, y en algunas zonas de África, a los 13.

ABAJO En la escuela primaria, a veces los niños tienen un solo profesor para todas las materias.

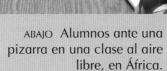
ABAJO Alumnos ante una pizarra en una clase al aire libre, en África.

¿Dónde hay escuelas al aire libre?

En algunos países pobres las clases se imparten al aire libre porque hay pocas escuelas. En Nepal, donde mucha gente vive en zonas remotas, a veces los niños andan varios kilómetros para ir y volver de la escuela todos los días. Algunas escuelas tienen problemas por la falta de libros, mesas, bolígrafos y lápices.

FORMAS DE VESTIR

¿Qué es un traje tradicional?

El traje tradicional es la ropa típica de las personas de un país.
Hoy día la gente viste de forma muy parecida en todo el mundo,
pero aún hay pueblos que llevan su traje tradicional, ya sea todos los
días o en ocasiones especiales, como fiestas, bodas o celebraciones
religiosas. Los trajes tradicionales nunca pasan de moda.

IZQUIERDA Esta chica japonesa lleva un quimono
tradicional sujeto con un *obi* (faja).

¿Quién lleva sari?

En países muy calurosos la gente lleva trajes largos y
sueltos para protegerse del sol. A veces son blancos
o de colores claros porque reflejan el sol en lugar de
absorberlo, y así quien los lleva no pasa tanto calor.
También es importante que sean de tejidos naturales,
como algodón o lino, porque son más frescos y
absorben mejor la transpiración.

¿Quién lleva uniforme?

Hay gente que lleva uniforme en el trabajo o en la escuela. Los policías, por ejemplo, llevan uniforme porque así los localizamos bien si los necesitamos. Algunos uniformes son especiales en algo, como los de los bomberos, que protegen del calor. En muchas escuelas se lleva uniforme para que ricos y pobres vistan igual.

IZQUIERDA Estos bomberos llevan un uniforme naranja que los identifica y los protege.

DERECHA Esta mujer sij lleva el tradicional vestido de boda rojo.

¿SABÍAS QUE...?
En un día frío se pierde más o menos un 70% del calor corporal por la cabeza. Por eso en invierno hay que ponerse gorro.

¿Por qué hay colores especiales?

El color de un atuendo puede tener significado si se asocia a ceremonias o momentos especiales. Por ejemplo, en los países occidentales el negro es el color tradicional del luto y se lleva como signo de respeto en los funerales. En la India y China la gente se viste de blanco en señal de duelo, y en algunos sitios de África se llevan vestidos rojos. Y, si el blanco es nuestro color tradicional para las bodas, en China es el rojo.

181

LA COMIDA

¿Qué son los alimentos básicos?

Los alimentos básicos son alimentos que aportan energía. Normalmente son carbohidratos, como el arroz. En cada zona se cultivan diferentes alimentos básicos. Por ejemplo, el maíz es un alimento básico en Centroamérica, y las patatas, en Norteamérica y Europa.

¿Dónde hay piñas?

Las piñas y otras frutas tropicales, como plátanos y mangos, crecen mejor en países cuyo clima es cálido todo el año. Cada cultivo necesita un clima y un terreno concreto. Por eso unos alimentos son más comunes en una región que en otra. Por ejemplo, las manzanas crecen mejor en climas templados.

¿SABÍAS QUE...?
Casi la mitad de la población mundial come insectos de forma habitual. En total, en diferentes zonas del mundo se consumen unas 1.500 especies de insectos.

IZQUIERDA Granjeros transportando piñas en cestos especiales para que no se estropeen.

¿Qué es un vegetariano?

Un vegetariano es una persona que no come carne. Algunas religiones prohíben también comer ciertos alimentos. Los hindúes no comen carne de vacuno porque para ellos la vaca es un animal sagrado (izquierda). Musulmanes y judíos no comen cerdo porque lo consideran un animal impuro. La tradición católica impide comer carne el viernes, y por eso ese día se come más pescado.

¿Quién come con palillos?

En los países de Asia Oriental, como China, se come con palillos, y también en el resto del mundo cuando se come comida asiática. Los palillos se sujetan entre el pulgar y el índice. En Occidente la mayoría de la gente come con tenedor, cuchillo y cuchara. En la India es tradicional comer con los dedos.

ABAJO Hay que practicar mucho para aprender a comer fideos con palillos sin que se caigan...

PAÍSES CONECTADOS

¿Cómo están conectados los países?

El comercio conecta diferentes países. Por ejemplo, los plátanos sólo crecen en zonas tropicales, y, en cambio, en Europa y Norteamérica nos gusta comer esa fruta. Por lo tanto, dependemos de los agricultores que la cultivan. Los agricultores, a su vez, dependen de las personas que compran la fruta para ganarse la vida. Es lo que se llama interdependencia.

¿Cómo funciona el comercio internacional?

En el comercio internacional, una empresa vende productos a consumidores de otro país. Esos productos se llaman exportaciones. Cuando un país importa productos significa que se los compra a otro país. Las fábricas y granjas venden sus productos en todo el mundo y los transportan en enormes barcos de contenedores y aviones.

ABAJO Se necesitan enormes grúas para descargar barcos como este.

184

¿Qué es el comercio justo?

El comercio es justo cuando los que cultivan o fabrican productos para exportar cobran por ello un salario digno. Los empleados reciben además un buen trato y no trabajan en condiciones de riesgo ni demasiadas horas. Esos productos llevan etiquetas especiales para que la gente sepa que respetan esos principios.

DERECHA Un agricultor recolectando arroz de comercio justo.

¿SABÍAS QUE…?
En el mercado hay alimentos que han viajado entre 2.000 y 4.000 km desde el lugar en que se cultivaron.

¿Son iguales todas las personas?

Las personas se parecen en todas partes porque todas tienen las mismas necesidades. Las que nacen en un mismo país comparten nacionalidad, pero hoy día en muchos países viven personas de diferentes orígenes, y por eso decimos de ellos que son multiculturales.

CIENCIA
Y TECNOLOGÍA

El mundo que nos rodea se rige por leyes científicas.
Los científicos han descifrado ya muchas y siguen haciéndolo.
Desarrollamos tecnologías a partir de lo que sabemos sobre
la ciencia y las fuerzas, como el magnetismo, la gravedad
o la electricidad, que determinan nuestra vida. Siempre
que encendemos la luz, navegamos por Internet o
hablamos por el móvil, es gracias a la ciencia.

EL MUNDO QUE NOS RODEA

¿De qué están hechas las cosas?

Todo, desde el agua o el aire hasta una ballena o un teléfono, está formado por pequeñas partículas llamadas átomos. Existen más de cien tipos de átomos, hechos a su vez de partes más pequeñas, las partículas subatómicas. Dos átomos o más forman una molécula. Todo lo que nos rodea está en estado sólido, líquido o gaseoso, según cómo estén ordenados los átomos y las moléculas que lo integran.

Los edificios tienen que construirse con materiales duros como la piedra.

ABAJO Un átomo está formado por partículas subatómicas. Unas partículas llamadas electrones giran en torno al centro, llamado núcleo.

Núcleo

Electrón

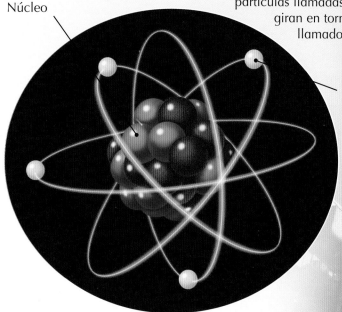

¿Por qué son duras las piedras?

Las piedras son duras porque son un cuerpo sólido. En los sólidos, los átomos o moléculas están muy juntos, y por eso tienen una forma característica. Algunos, como el caucho o las plumas, son flexibles o maleables. La dureza de un cuerpo depende de lo juntos que estén sus átomos.

¿Por qué fluye la miel?

La miel fluye porque es un líquido. Las moléculas de los líquidos están más separadas que las de los sólidos y no están enlazadas con tanta fuerza; por eso adoptan la forma del recipiente en que los vertemos. Unos son espesos, como la miel, y otros, claros, como el agua.

¿SABÍAS QUE...?
Los átomos son tan pequeños que, aunque pusiéramos cuatro millones bien juntos, no ocuparían más que la cabeza de un alfiler.

¿Por qué suben los globos?

Los globos de helio suben porque el gas que contienen es más ligero que el aire. En los gases las moléculas se mueven deprisa en todas direcciones. Los gases no adoptan una forma como los sólidos, sino que se expanden y llenan cualquier espacio. Al calentarse las moléculas del interior de un globo, se esparcen y se salen y, cuando hay menos dentro del globo que fuera, este se eleva.

IZQUIERDA
Los globos se elevan porque el aire caliente del interior es más ligero que el aire frío de fuera.

FUERZAS Y MOVIMIENTO

¿Cuándo se mueven las cosas?

Las cosas se mueven al aplicarles una fuerza, es decir, una presión o tracción en una dirección u otra. Una bandera ondea cuando el viento la empuja y una puerta se abre al tirar de ella. Los animales avanzan a medida que presionan el suelo con las patas, baten el aire con las alas o empujan el agua con las aletas.

¿Cómo actúan las fuerzas?

Las fuerzas actúan en parejas, tirando o empujando en direcciones opuestas. Cuando las dos son iguales, decimos que están equilibradas. En el tira y afloja, dos equipos con igual fuerza se quedan quietos, pero uno cede si el otro es más fuerte. Otro ejemplo de equilibrio es cuando dos cosas se mueven a igual velocidad en la misma dirección.

ABAJO Un cohete despega cuando la fuerza que lo empuja es mayor que la fuerza de la gravedad que tira de él hacia el suelo.

¿Por qué se paran las cosas?

El movimiento se detiene por la acción de una fuerza opuesta. Una de esas fuerzas es la fricción, es decir, el rozamiento de dos superficies. Las superficies rugosas, como el cemento, generan más fricción que las lisas, como el cristal. Las suelas de los zapatos están hechas de material de alta fricción, como la goma, para evitar resbalones.

IZQUIERDA Los frenos de bicicleta llevan zapatas de goma de alta fricción para detener el impulso.

¿SABÍAS QUE...?

Los automóviles más rápidos, como los coches bala, necesitan paracaídas para frenar más deprisa.

¿Cómo funcionan los paracaídas?

Los paracaídas frenan la caída de la persona gracias a la resistencia del aire, que se produce cuando las moléculas de aire situadas frente a un objeto en movimiento se agolpan y lo presionan. La gran superficie de un paracaídas desplegado crea mucha más resistencia que el cuerpo de la persona, y por eso reduce la velocidad de caída.

IZQUIERDA El paracaídas genera tanta resistencia al aire que frena la caída de la persona.

FUERZAS EN ACCIÓN

¿Por qué se caen las cosas?

La gravedad es la fuerza que hace que las cosas se caigan. Está provocada por la Tierra, que atrae hacia su centro todo lo que está en su superficie y en la atmósfera. Cuando se lanza una piedra al aire, la gravedad la atrae de nuevo al suelo. Sin gravedad los objetos flotarían en el aire.

IZQUIERDA
Un esquiador baja arrastrado por la fuerza de la gravedad.

¿Por qué flotan o se hunden las cosas?

En el agua, las cosas flotan según su flotabilidad, es decir, el equilibrio entre la gravedad, que nos arrastra hacia abajo, y la presión del agua, que empuja los objetos hacia arriba. Un portaaviones flota porque la presión del agua sobre su enorme casco es mayor que la fuerza de gravedad provocada por su peso.

IZQUIERDA Un submarino cambia su flotabilidad para hundirse o flotar.

¿Cómo son los barcos más rápidos?

Un barco con la proa puntiaguda irá más deprisa que uno que la tenga aplanada porque ofrecerá menos resistencia al agua. La resistencia al agua es la fricción entre el agua y el objeto que la surca. Un barco con la proa puntiaguda se abre paso por el agua con comodidad.

¿SABÍAS QUE...?
Los trenes Maglev no tienen ruedas: se desplazan flotando sobre vías especiales gracias a la fuerza magnética.

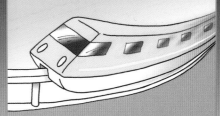

DERECHA Los barcos con la proa puntiaguda, como este, son aerodinámicos.

¿Cómo funcionan los imanes?

Los imanes se pegan al metal debido a la fuerza magnética, que los arrastra hacia superficies como la puerta de una nevera. El magnetismo puede estar causado por diminutas partículas llamadas electrones, que en metales magnéticos, como el acero, se mueven de un átomo a otro. También puede deberse a una fuerza de los electrones del imán llamada espín: la puerta de la nevera atrae el imán por el espín de sus electrones.

IZQUIERDO Las limaduras metálicas muestran las fuerzas que genera el imán.

LUZ Y OSCURIDAD

¿De dónde viene la luz?

La mayor fuente de luz de la Tierra es el Sol. El calor y la luz que el Sol genera viajan por el espacio en líneas rectas llamadas rayos a casi 300.000 kilómetros por segundo. La Tierra completa un giro sobre su eje cada día, y por eso diferentes partes del planeta reciben la luz en cada momento. Es lo que determina la noche y el día. También emiten luz las bombillas eléctricas, las velas y los televisores.

ARRIBA En las ciudades, cuando se pone el sol, producimos nuestra propia luz.

¿Qué son las sombras?

Las sombras se producen cuando un objeto impide el paso de la luz. Los materiales que dejan pasar la luz y ver los objetos que hay detrás se llaman transparentes. Los materiales translúcidos sólo dejan pasar la luz, y los opacos no dejan pasar nada. La forma de una sombra depende de la forma del objeto que bloquea la luz. Si el objeto se acerca a la fuente de luz, su sombra se agrandará porque estará bloqueando más rayos de luz.

¿Por qué reflejan la imagen los espejos?

Todas las superficies reflejan la luz, pero si son rugosas los rayos se esparcen en todas direcciones. Los espejos tienen una superficie muy lisa que refleja la luz tal como la recibe, y por eso generan una imagen nítida de cualquier objeto. Las letras reflejadas en un espejo se ven al revés, como si leyéramos desde detrás de la página.

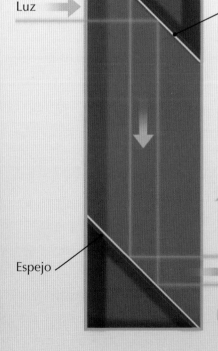

Espejo

Luz

Espejo

ARRIBA Los periscopios son un juego de espejos para ver objetos situados más arriba.

¿SABÍAS QUE...?
Las luciérnagas desprenden sustancias que emiten luz para atraer a sus parejas de noche.

¿Cómo funciona un periscopio?

Los periscopios tienen dentro unos espejos reflectantes que permiten ver objetos desde un nivel inferior. Un espejo en ángulo refleja la imagen formada por luz a través de un tubo. Luego, un segundo espejo en ángulo, situado en la parte baja del tubo, refleja de nuevo la luz y permite ver la imagen por el visor. Los periscopios de los submarinos permiten localizar barcos en la superficie sin necesidad de emerger.

LOS COLORES

¿Cuáles son los colores del arco iris?

En el arco iris hay siete colores, siempre en el mismo orden: rojo, naranja, amarillo, verde, azul, añil y violeta. La luz del sol puede parecer blanca, pero en realidad es una mezcla de muchos colores. Cuando las gotas del agua de lluvia dividen la luz del sol en sus diferentes colores vemos el arco iris.

ABAJO Un prisma de cristal divide la luz del sol en los colores del arco iris.

¿Por qué cambia el cielo de color?

Los gases y el polvo de la atmósfera descomponen los colores que forman la luz del sol, y por eso el cielo cambia de color. De día es el color azul el que llega difuminado por la atmósfera, y por eso el cielo se ve azul. Al atardecer, como la luz del sol tiene que cruzar más anchura de atmósfera para llegar a la Tierra, se esparce luz roja y el cielo tiene un color anaranjado.

¿Con qué colores imprimimos?

Para imprimir imágenes y texto se mezclan sólo cuatro colores de tinta: amarillo, cian (azul), magenta (rojo) y negro. El papel se imprime con pequeños puntos de tinta de cada color, que no podemos distinguir por separado porque se mezclan para formar los diferentes tonos.

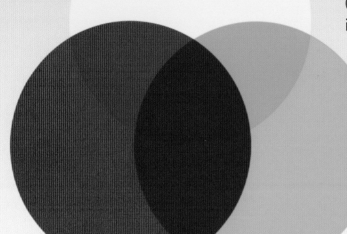

IZQUIERDA Mezclando estos tres colores básicos se obtiene toda la gama. Por ejemplo, con azul y amarillo obtenemos el verde.

¿Cómo usan el color los animales?

Algunos animales tienen la piel o el pelaje de colores parecidos a su hábitat para confundirse con él: es su camuflaje. Así, los osos polares son tan blancos que las focas que cazan no los ven llegar, y las orugas son verdes para ocultarse en las hojas. Otros animales son de colores vivos para llamar la atención. Con sus llamativos colores, la rana de flecha advierte que es venenosa.

¿SABÍAS QUE...?
El camaleón cambia de color según su estado de ánimo porque las gotitas de pigmento (color) que tiene bajo la piel se hinchan y se deshinchan.

DERECHA Los vistosos colores de las avispas advierten de su peligroso aguijón.

197

EL SONIDO

¿Qué es el sonido?

El sonido es una perturbación del aire que ocurre cuando algo, como una cuerda, vibra o se mueve deprisa. La vibración hace que el aire se desplace en ondas. El oído las detecta y el cerebro las identifica como sonido. Los sonidos altos, como las notas de una flauta, los producen ondas cortas, mientras que los bajos, como los de la tuba, ondas largas.

La piel de un tambor vibra al golpearla y produce un sonido.

¿Cuándo se oyen menos los sonidos?

Las vibraciones de sonido se expanden en todas direcciones a partir del objeto que las produce, como las ondas de agua en un charco al tirar una piedra. Cuanto más se alejan de lo que las causa, más se debilitan. Las vibraciones fuertes generan una gran cantidad de energía que mueve mucho aire, lo que da lugar a sonidos altos.

¿Cómo medimos los sonidos?

El sonido se mide en unidades llamadas decibelios. Los sonidos más leves, como el de una hoja que cae, son de entre 0 y 10 decibelios, y los más altos no superan los 200. Por encima de los 90 decibelios los sonidos son peligrosos porque las fuertes ondas de aire pueden herir el interior del oído.

¿SABÍAS QUE...?

En el espacio reina el silencio porque no hay aire que convierta las vibraciones en sonido.

DERECHA Podemos oír cómo caen las hojas, pero un avión al despegar emite un sonido tan alto que puede dañarnos los oídos.

¿Qué es el eco?

El eco es el sonido repetido que oímos cuando las ondas de sonido rebotan contra objetos, como un acantilado o los muros de un túnel. Si el objeto está cerca, las ondas vuelven tan deprisa que no percibimos el eco como un sonido diferente. Para volar de noche sin chocar, los murciélagos lanzan chillidos y escuchan el eco. Así saben a qué distancia están los objetos y cuáles son sus dimensiones.

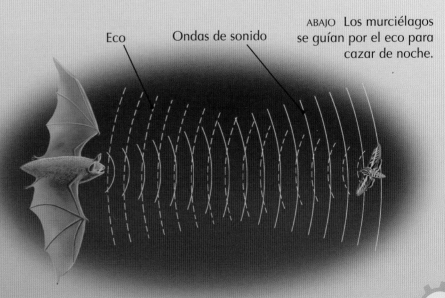

Eco   Ondas de sonido

ABAJO Los murciélagos se guían por el eco para cazar de noche.

CALOR Y TEMPERATURA

¿Qué es la temperatura?

La temperatura es la medida de lo frías o calientes que están las cosas. Se suele medir en unidades llamadas grados Celsius o Fahrenheit, con un termómetro. Medir la temperatura es esencial porque los seres vivos pueden enfermar si se calientan o se enfrían demasiado. Algunas sustancias mezcladas cambian a ciertas temperaturas. Por ejemplo, leche, huevo y harina en el horno dan un pastel.

Agua hirviendo **100 ºC**

Temperatura del cuerpo humano **37 ºC**

Temperatura ambiente ideal **21 ºC**

Temperatura de congelación del agua **0 ºC**

DERECHA Los termómetros miden la temperatura con un líquido que se dilata con el calor.

¿SABÍAS QUE...?
La temperatura más baja del planeta se alcanzó en la Antártida, con -89 ºC, y la más alta, en Libia, con 58 ºC.

ABAJO En las fábricas el metal se calienta en hornos a más de 1.000 ºC.

¿Por qué se calientan las cosas?

Las cosas se calientan cuando sus átomos o moléculas vibran deprisa. El calor es una forma de energía que transmiten los objetos calientes a los fríos, hasta que los dos llegan a la misma temperatura. Una forma de calentar es la conducción. Se da cuando la energía de la vibración pasa de una molécula a otra, como al sumergir una cuchara en agua hirviendo.

¿Cómo nos calienta un abrigo?

Los abrigos nos mantienen calientes reteniendo el aire, que es bastante aislante, cerca de nuestro cuerpo. Este efecto se conoce como aislamiento. Existen otros aislantes por medio de aire, como las ventanas de cristal doble, la lana o los abrigos con relleno. Muchos animales de climas fríos tienen una capa de grasa que conserva el calor de su cuerpo.

ARRIBA Sin los abrigos, perderíamos demasiado calor corporal en los lugares fríos.

ABAJO Esta piscina exterior está construida en una fuente termal.

¿Por qué el agua de las fuentes termales quema tanto?

El agua de una fuente termal es mucho más caliente que el aire que la rodea porque ha pasado junto a la roca líquida muy caliente llamada magma. Las fuentes termales están en zonas volcánicas, como Islandia o Japón, donde el magma es más superficial: normalmente se encuentra a gran profundidad. Aunque nieve, en una piscina termal se está mejor que en la bañera.

CONGELACIÓN Y DESCONGELACIÓN

DERECHA Los icebergs flotan porque el hielo es menos denso (más ligero) que el agua.

¿Cuándo se hiela el agua?

El agua se convierte en hielo cuando la temperatura baja de los 0 ºC. El fenómeno se llama congelación. Cuando algo se enfría, pierde la energía del calor y sus partículas vibran cada vez menos. Cuando se congela, las partículas están tan juntas que forman un sólido. El agua es el único líquido que se expande (crece) al congelarse.

¿Por qué se derriten los helados?

Los helados se derriten cuando se calientan demasiado. Pasan de un estado sólido a líquido, aunque esos cambios son reversibles. Por ejemplo, si pones un helado derretido en el congelador, se helará y volverá a ser sólido. Las moléculas del helado no cambian de sabor, sólo cambia su disposición física.

¿Qué pasa con los charcos cuando hace calor?

En un día de sol, los charcos se pueden evaporar. La evaporación sucede cuando un líquido se convierte en gas y empieza cuando las moléculas del agua se calientan. Entonces, empiezan a vibrar y separarse de las otras moléculas, y se esparcen hasta que la sustancia se convierte en gas (el vapor de agua).

¿SABÍAS QUE…?
La cantidad total de agua del planeta es la misma desde hace unos 2.000 millones de años.

ARRIBA A veces hay charcos que no desaparecen aunque haga mucho calor.

¿Qué es el ciclo del agua?

El ciclo del agua es la circulación constante del agua entre la tierra y el cielo. El agua de mares, ríos y lagos se calienta con el sol, se evapora y sube al cielo en forma de vapor de agua. Allí, se enfría y se condensa, es decir, pasa de gas a agua, en las nubes. Después, cae a la tierra en forma de lluvia o nieve. Esa agua acaba en los mares, ríos y lagos, y el ciclo vuelve a empezar.

MATERIALES

¿Por qué son metálicos los recipientes para cocinar?

Están hechos de metal porque los metales se calientan deprisa. Los átomos del metal vibran enseguida cuando se calientan y transmiten las vibraciones a los de su alrededor. Por eso los metales son buenos conductores del calor. La mayoría son duros, resistentes y brillantes, pero cada metal tiene sus propiedades. El aluminio, por ejemplo, es ligero y fácil de moldear.

¿Cómo se hace el cristal?

El cristal se fabrica calentando arena, ceniza y piedra en un horno. El cristal fundido se enrolla en hojas, se vierte en un molde o se sopla para darle forma. Cuando se endurece, es un sólido translúcido e impermeable que puede reflejar la luz o dejarla pasar. Con cristal se hacen ventanas y vasos, así como lentes y espejos.

IZQUIERDA El tubo de soplar se sumerge en el cristal fundido y luego se sopla. La burbuja de cristal que se forma se puede moldear.

204

IZQUIERDA
El plástico
es ideal para
fabricar objetos
como juguetes,
botellas y sillas.

¿Qué es el plástico?

El plástico es un material artificial
que se obtiene al calentar componentes
químicos del petróleo. Tiene muchas
utilidades porque es dúctil, no se rompe al
caerse y es ligero e impermeable. Existen
muchos tipos de plástico. Por ejemplo, el
plexiglás es un plástico duro y transparente,
mientras que el poliestireno es una espuma
aislante (que retiene el calor).

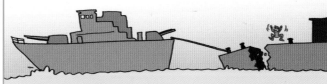

¿SABÍAS QUE...?
El kevlar es un plástico cinco veces más duro que
el acero. Con él se fabrican chalecos antibalas y
cuerdas para amarrar barcos enormes.

¿Por qué es un problema?

El plástico no es biodegradable, es decir,
no se descompone como la comida, el
papel o la madera. Por eso los residuos
de plástico se acumulan en vertederos o
flotan por el mar y terminan en las playas.
Los científicos están desarrollando nuevos
plásticos que puedan descomponerse pero
que a la vez conserven los alimentos.

205

LAS ROCAS Y EL SUELO

¿Qué son las rocas de fuego?

Las rocas de fuego son rocas ígneas, que se forman cuando la roca fundida, el magma, sube desde las profundidades. A veces sale a la superficie en forma de lava por la boca de un volcán en erupción, y entonces se enfría y forma rocas ígneas, como el basalto. Otras veces la roca se enfría más despacio en zonas más profundas y forma otro tipo de rocas ígneas, como el granito.

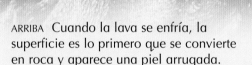

ARRIBA Cuando la lava se enfría, la superficie es lo primero que se convierte en roca y aparece una piel arrugada.

¿Pueden cambiar las rocas?

Las rocas metamórficas son rocas que se han transformado. El cambio lo puede provocar un calor extremo, o la gran presión de las rocas de alrededor. Al observar de cerca muestras de rocas metamórficas, a veces se aprecian granos de roca aplastados. Una de las más habituales es el mármol, que originalmente era una piedra caliza.

ARRIBA El carbón se transforma en diamante al sufrir la enorme presión de las rocas.

ARRIBA Las rocas sedimentarias son blandas y se desgastan con el viento y el agua, dejando las rocas más duras aisladas en bloques altos.

¿Por qué se desmenuzan las rocas?

Algunas rocas se desmenuzan porque están hechas de capas secas de barro y arena. Esas rocas se llaman rocas sedimentarias. La piedra caliza y la arenisca lo son. Se formaron hace millones de años, cuando capas de arena y barro quedaron enterradas y apretadas bajo la superficie.

¿SABÍAS QUE...?
Los fósiles, que son huesos y restos de animales y plantas muy antiguos, casi siempre se encuentran en rocas sedimentarias.

¿De qué está formado el suelo?

El suelo está formado por rocas y seres vivos. El viento y el agua arrancan partículas de las rocas grandes y las acumulan en el suelo, donde se mezclan con restos de plantas y animales. Otros animales, como los gusanos, mezclan todos los elementos con agua y aire, y así se forma el suelo.

DERECHA Los agricultores labran el suelo para desmenuzarlo y que a las plantas les cueste menos crecer.

LOS COMBUSTIBLES

ARRIBA El carbón se formó a partir de los árboles de los pantanos prehistóricos.

¿Qué son los combustibles fósiles?

Los combustibles fósiles son el petróleo, el gas natural y el carbón y se formaron a partir de restos fosilizados de plantas y animales. Los animales y plantas muertos en la prehistoria quedaron enterrados bajo rocas sedimentarias y fueron convirtiéndose en fósiles. Durante millones de años, el calor y la presión los transformaron en combustible, que al arder libera calor.

ABAJO En las plataformas petrolíferas se perfora el fondo del mar en busca de petróleo.

¿De dónde salen el petróleo y el gas?

El petróleo y el gas proceden de rocas que están a mucha profundidad, y se extraen con perforadoras y tubos muy largos. Las rocas pueden estar bajo tierra o bajo el mar. Se hacen agujeros muy profundos en el lecho marino y se inyectan productos para liberar los combustibles. El petróleo y el gas pueden transformarse en gasolina, plástico y otros productos.

NORTH CORMORANT

¿Se agotan los combustibles fósiles?

Si los consumimos al ritmo actual y no se descubren nuevas fuentes de energía, el petróleo y el gas del planeta se agotarán en 2050, y el carbón, en 2100. Los combustibles fósiles no son renovables: sólo pueden usarse una vez. Para ahorrar hay que optar por las energías renovables, como la del sol, el viento o el agua en movimiento, que no se agotarán nunca.

¿SABÍAS QUE…?
El mayor buque cisterna es más largo que la Torre Eiffel de arriba abajo y puede transportar petróleo para llenar hasta 300 piscinas olímpicas.

ARRIBA Al girar, los molinos de viento generan energía renovable.

¿Pueden convertirse los residuos?

Sí, porque al quemar madera o plantas se libera energía calorífica. Los residuos biodegradables, como restos de comida o de poda, estiércol de animales o papel, se descomponen por la acción de las bacterias y pueden generar biogás y biocombustible, que se produce también a partir de cultivos como la caña de azúcar y el maíz.

ARRIBA El estiércol se convierte en biocombustible.

209

LA ELECTRICIDAD

¿Qué es la electricidad?

La electricidad es la energía que se forma a partir de unas partículas minúsculas de los átomos llamadas electrones. Los electrones pueden moverse de un átomo a otro, movimiento que se llama energía eléctrica. Muchos aparatos, desde linternas hasta televisores, funcionan con electricidad, que se transmite a través de materiales conductores, como los cables metálicos.

IZQUIERDA Los rayos, las ráfagas de luz que vemos cuando hay tormentas son descargas de electricidad.

¿Cómo se obtiene la electricidad?

La electricidad se produce en centrales eléctricas por medio de generadores. En las centrales se quema un combustible, como carbón, para convertir agua en vapor. El vapor hace girar una turbina (un conjunto de grandes aspas), que acciona imanes internos del generador y produce la electricidad que llega por cables hasta los enchufes de las casas.

ABAJO Hay plantas hidroeléctricas que generan electricidad gracias a la fuerza del agua, que hace girar las turbinas.

ARRIBA Las pilas permiten hablar por un walkie-talkie sin conectarlo a la electricidad.

¿Por qué necesitamos las pilas?

Las pilas son útiles para proporcionar energía a máquinas portátiles sin tener que conectarlas a la electricidad. Las pilas son depósitos de sustancias químicas que producen un flujo de energía eléctrica. Antes se agotaban cuando esos productos dejaban de funcionar, pero ahora existen pilas que se vuelven a cargar cuando se conectan a la electricidad.

¿SABÍAS QUE...?
Los paneles solares convierten la luz en energía eléctrica. Hay calculadoras, radios y satélites equipados con paneles solares.

¿Cómo funciona un interruptor?

Un interruptor controla el flujo de electricidad (la corriente) que acciona las máquinas. La electricidad sólo puede fluir por un circuito cerrado, es decir, continuo. El interruptor es como la puerta que se abre o cierra para cortar o permitir el paso de la electricidad.

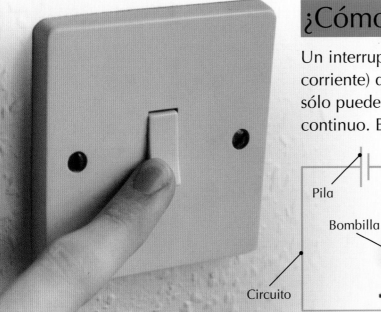

Pila

Interruptor

Bombilla

Circuito

IZQUIERDA Un interruptor apaga y enciende la luz cortando o permitiendo el flujo de la electricidad por el circuito.

LAS MÁQUINAS EN ACCIÓN

¿Qué máquinas tienen motor?

Muchas máquinas llevan un motor eléctrico. Un motor contiene una bobina (un cable muy enrollado) alrededor de un eje, entre imanes. Cuando pasa corriente por la bobina, esta se magnetiza y el imán la repele. Así, la bobina gira y también el eje. Ese movimiento de giro puede impulsar una máquina.

Tren eléctrico de juguete

Taladro

ARRIBA Muchas herramientas, como esta sierra radial para cortar metal, están accionados por motores; los taladros o los trenes de juguete, también.

DERECHA En una bombilla, el cable de resistencia llamado filamento brilla para producir luz.

¿Por qué brillan las bombillas?

Muchas bombillas brillan porque un delgado hilo metálico, llamado filamento, convierte la energía eléctrica en luz. Otras no tienen hilo, sino que producen la luz de otra forma. Las bombillas de bajo consumo tienen un recubrimiento fluorescente especial en tubos de cristal llenos de gas y, cuando pasa corriente por el gas, el recubrimiento brilla.

Filamento metálico

Bombilla de cristal

La base metálica se enrosca en la toma

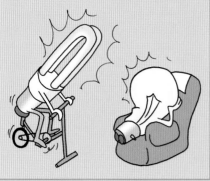

¿Cómo se calienta una tostadora?

Las tostadoras tienen dentro unos alambres muy enrollados, llamados resistencias, que reducen el flujo de electricidad y así producen calor. Al frenarse el movimiento de los electrones, parte de la electricidad se transforma en calor. Los secadores funcionan de forma parecida: un ventilador produce aire, que pasa por una resistencia y se calienta.

IZQUIERDA Estos grandes altavoces sirven para emitir anuncios públicos. Las radios, los televisores y los equipos de música tienen altavoces más pequeños.

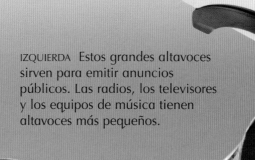

¿Cómo funcionan los altavoces?

Los altavoces transforman la electricidad en sonido. Un pequeño cono de cartón o plástico llamado diafragma vibra si se envían señales eléctricas por una bobina de alambre. El volumen y el tono (alto o bajo) del sonido dependen de la intensidad y velocidad de las vibraciones.

TECNOLOGÍA DIGITAL

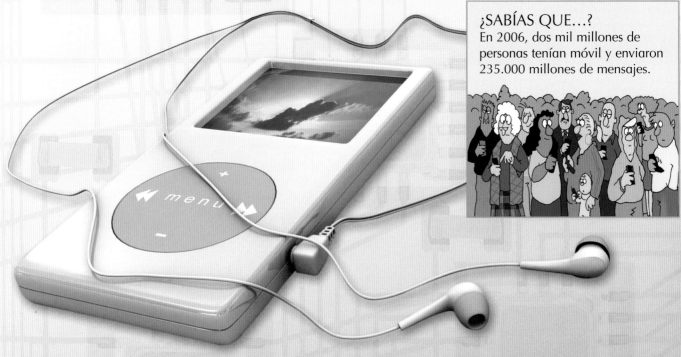

¿Qué es la tecnología digital?

Incluye ordenadores, cámaras digitales, reproductores MP3 y teléfonos móviles. Esos aparatos pueden grabar, guardar, enviar y procesar señales electrónicas como información digital. «Digital» significa que las señales eléctricas están encendidas (1) o apagadas (0). Esos dos números forman un código que puede representar toda clase de información.

ABAJO Hay microchips de menos de un centímetro cuadrado.

¿Cómo funcionan los microchips?

Los microchips tienen pequeños circuitos eléctricos integrados en piezas de silicio finas como el papel. El silicio es un material que conduce muy bien la electricidad (es decir, la deja pasar). Un solo microchip puede contener miles de circuitos y procesar gran cantidad de información digital. Gracias a los microchips, los ordenadores y otros aparatos digitales son pequeños y ligeros.

¿Dónde podemos usar Internet?

Con un ordenador portátil podemos conectarnos a Internet desde muchos sitios porque son inalámbricos: tienen una antena que recibe señales de radio y las convierte en páginas web o correos electrónicos. Como los portátiles no tienen que estar conectados funcionan en cualquier lugar.

ABAJO Con un ordenador inalámbrico podemos conectarnos a Internet desde cualquier lugar.

ABAJO Los robots, como este, funcionan con tecnología digital.

¿Habrá robots en el futuro?

Es posible que en el futuro muchos tengamos robots en casa para limpiar, cocinar o abrir la puerta. Puede ser incluso que haya coches-robot que conduzcan por rutas programadas de antemano. Sin embargo, los robots están ya en nuestra vida. Por ejemplo, en algunas fábricas son robots los que producen los coches, y otros ayudan a los médicos a llevar a cabo las operaciones más complicadas.

GLOSARIO

Aborigen
Habitante originario de Australia. Los aborígenes vivían ya allí cuando llegaron los pobladores europeos.

Asteroide
Fragmento rocoso en el sistema solar. Su tamaño puede oscilar entre el de un grano de arena y más de 1.000 km de ancho.

Atmósfera
Capa de gas que rodea el planeta atraída por la gravedad. Mide unos 500 kilómetros de grosor.

Átomo
Antes se creía que era la parte más pequeña de una sustancia, pero ahora sabemos que los átomos constan de partes más pequeñas llamadas partículas subatómicas.

Carnívoro
Animal que se alimenta de la carne de otros animales.

Carroñero
Animal que se alimenta de plantas o animales muertos.

Casquetes polares
Capas gruesas de hielo y nieve que cubren los Polos Norte y Sur.

Célula
La unidad más pequeña que forma los cuerpos. Los animales más pequeños tienen sólo una y los más grandes, millones.

Clima
Comportamiento del tiempo en una zona geográfica. Las plantas y animales están adaptados para vivir en el clima del que proceden.

Continente
Cada una de las cinco grandes extensiones de tierra del mundo: Europa, Asia, África, América y Oceanía. A veces también se considera continente la Antártida.

Democracia
Sistema de gobierno en que los líderes son elegidos por el pueblo en elecciones. Un gobierno cuyo líder no sea elegido en unas elecciones es una dictadura.

Depredador
Animal que caza y come animales.

Desierto
Territorio donde llueve muy poco. Como para que haya vida tiene que haber agua, en los desiertos hay pocas plantas y animales.

Diafragma

Músculo situado por debajo de los pulmones que nos permite respirar. También es el nombre de la parte del altavoz que vibra y genera el sonido.

Digestión

Proceso de descomposición de los alimentos en partículas muy pequeñas, que después se transmiten a la sangre y proporcionan a los animales las sustancias necesarias para mantenerse sanos.

Digital

Sistema para almacenar la información usando series de 0 y 1. Ordenadores y teléfonos móviles, entre otros aparatos, guardan esa información electrónicamente en microchips.

Eco

Sonido repetido que se oye cuando un sonido rebota en una superficie dura, como un acantilado o un túnel.

Ecolocalización

Sistema para localizar objetos emitiendo sonidos fuertes o pitidos y escuchando su eco. Los murciélagos y los delfines lo utilizan para localizar a sus presas en la oscuridad.

Efecto invernadero

Calentamiento de la Tierra provocado por la presencia de dióxido de carbono en la atmósfera, que impide que el calor salga de la atmósfera. La contaminación por la combustión de petróleo y carbón aumenta ese efecto y hace que la temperatura del planeta suba.

Electricidad

Movimiento de pequeñas partículas, llamadas electrones, a través de un material como el metal. Este movimiento provoca una corriente eléctrica, que puede usarse como fuente de energía.

Energía renovable

Fuente inagotable de energía, como la del viento o la solar.

Étnico

Término que describe las características comunes de un grupo de personas, que incluyen el idioma, la religión, la forma de vestir o su país de origen.

Evaporación

Transformación de un líquido en gas, como cuando el agua se convierte en vapor al hervir.

Evolución

Proceso por el cual los animales y las plantas se adaptan y cambian a lo largo de las generaciones. Los que se adaptan bien a su entorno sobreviven y se reproducen, mientras que los demás desaparecen.

Extinción

Desaparición de una especie cuando ya no puede sobrevivir debido a la caza excesiva, o cuando hay un cambio en su hábitat, por ejemplo, si la temperatura sube o baja demasiado.

Fósil

Cuerpo de un animal o planta muerto que se ha conservado en la roca o en otra sustancia, a menudo millones de años.

Fotosíntesis

Proceso por el que las plantas producen sustancias químicas a partir de la energía del sol. Este sistema es la base del resto de las formas de vida porque es la única forma natural de obtener energía del sol.

Fuerza

Presión o tracción que hace que un objeto se mueva o se pare.

Galaxia

Conjunto de millones de estrellas que se mantiene estable por efecto de la gravedad.

Gen

Código de una célula que indica en qué tipo de célula se convertirá. Así, nuestros genes deciden qué aspecto tendrá nuestro cuerpo.

Gérmenes

Pequeños seres vivos, como las bacterias, que provocan enfermedades en animales y plantas.

Glándula

Célula u órgano del cuerpo que produce componentes químicos que dan instrucciones a otras partes del cuerpo.

Gravedad

Fuerza de atracción entre dos objetos, como la que hay entre la Tierra y la Luna.

Hábitat

Lugar en el que vive una planta o un animal.

Hemoglobina

Componente de la sangre que lleva oxígeno a las células del cuerpo y da un color muy rojo a la sangre cargada de oxígeno.

Herbívoro

Animal que sólo come plantas.

Hibernación

Sistema de supervivencia de algunos animales. Cuando hibernan, duermen y casi no les late el corazón, de modo que parece que estén muertos.

Hidrato de carbono

Sustancia presente en alimentos como el azúcar, el trigo y el arroz. Los animales comen hidratos de carbono para obtener energía.

Luna

Satélite natural de un planeta.

Magma

Roca fundida o líquida que hay bajo la superficie de la Tierra. A veces sale al exterior por el cráter de los volcanes.

Manada

Grupo grande de mamíferos que viven juntos.

Moléculas

Pequeñas partículas que forman una sustancia. Una molécula puede ser tan pequeña como sólo dos átomos unidos por un lazo químico.

Músculo

Parte del cuerpo que se contrae (acorta) y se relaja para generar el movimiento.

Nervio

Conjunto de fibras del cuerpo que envían señales eléctricas al cerebro y las reciben.

Omnívoro

Animal que come tanto vegetales como carne.

Órgano

Parte de un animal o planta que realiza una función particular. El corazón es el órgano que bombea la sangre por el cuerpo.

Pico

Boca de las aves, hecha de hueso.

Población

Total de personas o animales que vive en un sitio concreto.

Presa

Animal cazado por otro animal.

Pubertad

Cambio que se produce cuando el niño alcanza la madurez sexual. Suele implicar crecimiento.

Satélite

Objeto que orbita alrededor de un planeta atraído por su gravedad.

Sedimento

Fragmentos pequeños de roca o tierra que se acumulan en el fondo de ríos y mares.

Selva

Bosque espeso que se encuentra en zonas con mucha lluvia próximas al ecuador.

Sentidos

Medios de que disponemos para experimentar el mundo que nos rodea. Los humanos tenemos cinco: vista, oído, tacto, olfato y gusto.

Sistema solar

Parte del espacio que comprende el Sol, los nueve planetas que giran a su alrededor y todas las lunas y asteroides.

Tradición

Forma de hacer las cosas, como la música, la comida o un sistema de gobierno, que se transmite de generación en generación.

Vertebrado

Animal que tiene esqueleto y columna vertebral. Los animales sin columna vertebral se llaman invertebrados.

Vitaminas

Componentes químicos que el cuerpo necesita para estar sano. Las obtenemos de los alimentos.

219

ÍNDICE ALFABÉTICO

CRÉDITOS

Ilustraciones de Terry Pastor, Ken Oliver, Peter Ball, Myke Taylor,
Stuart Jackson-Carter y Wayne Ford proporcionadas por la Art Agency

Créditos fotográficos:
ab. = abajo, ar. = arriba, d. = derecha, i. = izquierda, c. = centro
Cubierta: Corbis

1 Dreamstime.com/Pierdelune, 2 NASA, 3i. Dreamstime.com/Sebastian Kaulitzki, 3c. Dreamstime.com/Thomas Scheiker, 3d. Dreamstime.com/Elena Elisseeva, 6 Dreamstime.com/Goce Risteski, 7ab.i. Digital Vision, 7ab.ar. NASA, 7ab.d. NASA, 8ab. NASA, 9ab. Dreamstime.com, 9ar. NASA, 10ar. NASA, 10ab. Joseph Sohm; ChromoSohm Inc./CORBIS, 11ar. Dreasmtime.com/Ken Wood, 12B Dreamstime.com/Goce Risteski, 12-13d. NASA, 12tc. Digital Vision, 13t NASA, 13ab. NASA, 14t NASA, 14ab. NASA, 15t Dreamstime.com/Antonio Petrone, 15ab. NASA, 16ar. NASA, 16ab. NASA, 17ar. NASA, 17c. NASA, 17ab. NASA, 18ar. NASA, 19c. NASA, 19ab. NASA, 20-21ab. NASA, 20c. NASA, 21ar. Dreamstime.com/ Johnny Lye, 21c. NASA, 22ar. Amos Nachoum/CORBIS, 22ab. NASA, 23ar. NASA, 23ab. NASA, 24ar. Dreamstime.com/Steven Bourelle, 24ab. Dreamstime.com/Daniel Gustavsson, 26ab. NASA, 26-27c. Digital Vision, 27ar. iStockphoto.com, 27ab. iStockphoto.com, 28ab. Dreamstime.com/Jose Fuente, 29ar. Digial Vision, 29ab. NASA, 30-31ab. Dreamstime.com, 30 Digital Vision, 31ar. Digital Vision, 32ab. Dreamstime.com/Peter Hazlett, 33ab. Digital Vision, 34ab. Digital Vision, 35ab. NASA, 36 Dreamstime.com, 37ab.i. Dreamstime.com/ Anthony J. Hall, 37ab.c. Dreamstime.com/Natalia Bratslavsky, 37ab.d. Dreamstime.com/Bob Ainsworth, 38ar. Dreamstime.com/Ismael Montero, 39ar. Dreamstime.com/Bob Aimsworth, 39ab. Dreamstime.com/Tanya Weliky, 40ar. Dreamstime.com/Natalia Bratslavsky, 41ar. Dreamstime.com/Asther Lau Choon Siew, 42ar. Dreamstime.com/Mark Bond, 42c. Dreamstime.com/ Bob Ainsworth, 46ar.i. Wolfgang Kaehler/CORBIS, 46ar.d. Layne Kennedy/CORBIS, 47ar. Dreamstime.com/Dannyphoto80, 48ar. Dreamstime.com/Anthony J.Hall, 49c. Dreamstime.com/ Tom Mounsey, 50ab. Dreamstime.com, 58ab. Dreamstime.com/Bob Ainsworth, 68ar. Corbis, 68ab.i. Dreamstime.com/Stasys Eidiejus, 68ab.d. Dreamstime.com, 69ar.d. Dreamstime.com/ Christopher Marin, 69ab.d. Dreamstime.com/Stephen McSweeny, 69ab.c.ar. Dreamstime.com/Andre Nantel, 69ab.c.i. Dreamstime.com/Tim Goodwin, 69ab.c.d. Dreamstime.com/ Stephen Inglis, 69ab.c.ab. Dreamstime.com/Dallas Powell Jr, 70ar. Dreamstime.com/Thomas Scheiker, 70ab. Dreamstime.com/Jens Mayer, 71ar. Dreamstime.com/Ian Scott, 71ab.i. Dreamstime.com/Anna Kowalska, 71ab.c. Dreamstime.com/Joe Stone, 71ab.d. Digital Vision, 72ab. Digital Vision, 73ar. Dreamstime.com/Sergey Anatolievich, 73ab. Dreamstime.com/ Martina Berg, 74ar. Digital Vision, 74ab. Digital Vision, 75ar. Dreamstime.com/Craig Ruaux, 75ab. Dreamstime.com/Craig Ruaux, 76ar. Dreamstime.com, 77ar. Dreamstime.com/ Nathan 430, 77ab. Dreamstime.com/Pomortzeff, 78ar. Dreamstime.com/Hhakim, 79ar. Dreamstime.com/Pantoja, 79ab. Dreamstime.com/Ryszard, 80ar. Dreamstime.com/Elenthewise, 80c. Dreamstime.com, 81ar. Dreamstime.com/Denis Pepin, 81ab. Dreamstime.com/Anthony Hathaway, 82ar. Dreamstime.com/Avner Richard, 82ab. Dreamstime.com/F2, 83ar. Dreamstime.com/Carlos Arranz, 83ab. Corbis, 84ar. Corbis, 84ab. Dreamstime.com/Dcrippen, 85ar. Dreamstime.com/Bernardbreton, 85ab. Corbis, 86ar. Dreamstime.com/ Alantduffy1970, 86ab. Dreamstime.com/Janehb, 87ab. Corbis, 88ar. Dreamstime.com/Digitalphotonut, 88ab. Dreamstime.com/Romkaz, 89ab. Dreamstime.com/Amaritz, 90ar. Dreamstime.com/Dpw-shane, 90ab. Dreamstime.com/Matthias Weinrich, 91ar. Dreamstime.com, 91ab. Dreamstime.com, 92ar. Corbis, 92ab. Dreamstime.com/John Abramo, 94ar. Dreamstime.com/Vladimir Pomortsev, 94ab. Digital Vision, 95ar. Digital Vision, 95ab. Dreamstime.com/Arturo Limon, 96 Dreamstime.com/Sebastian Kaulitzki, 97ab.i. Dreamstime.com/ Daniel Gustavsson, 97ab.c. Dreamstime.com, 97ab.d. 107ab. Dreamstime.com/Marzanna Syncerz, 98ar. Dreamstime.com/Simone van Den Berg, 99ar. Dreamstime.com/Bruce Shippee, 99ab. Dreamstime.com/Jaimie Duplass, 100ar. Dreamstime.com/Aliencat, 101ar. Dreamstime.com, 101c. Dreamstime.com/Marek Tihelka, 101ab. Dreamstime.com/Suzanne Tucker, 102ar. Dreamstime.com/Aliencat, 103ar. Dreamstime.com/Rui Vale de Sousa, 103ab. Dreamstime.com/Vladimir Pomortsev, 104ar. Dreamstime.com, 105ar. Dreamstime.com, 105ab. Dreamstime.com, 107ar. Dreamstime.com/Eren Göksel, 107ab. Dreamstime.com/Marzanna Syncerz, 108ar. Dreamstime.com/Eastwesar. Imaging, 109ar. Dreamstime.com/David Davis, 109c. Dreamstime.com/Geza Farkas, 110ar. Dreamstime.com/Asther Lau choon siew, 111ar. Dreamstime.com/Stephen Coburn, 111ab. Dreamstime.com/Daniel Gustavsson, 112ar. Dreamstime.com, 112ab. Dreamstime.com/Pavel Losevsky, 113ar. Dreamstime.com/Sebastian Kaulitzki, 113ab. Dreamstime.com, 114ar. Dreamstime.com/Simone van den Berg, 114ab. Dreamstime.com/Monika Wisniewska, 115ab. Dreamstime.com, 116ar. Dreamstime.com/Kathleen Melis, 117ar. Dreamstime.com - Linda Bucklin, 118ab. Dreamstime.com/Eddie Saab, 119ar. Dreamstime.com/Mandy Godbehear, 119ab. Dreamstime.com, 120ar. Dreamstime.com/Sebastian Kaulitzki, 121d. Dreamstime.com, 121ab. Dreamstime.com/Pavel Losevsky, 122ar. Dreamstime.com/Ernest Prim, 122ab. Dreamstime.com, 123ar. Dreamstime.com/Mandy Godbehar, 123ab. Dreamstime.com/com Grill, 124ar. Dreamstime.com/Olga Lyubkina, 125ar. Dreamstime.com, 125ab. Dreamstime.com, 126 Dreamstime.com/Cjdabruin, 127ab.d. Dreamstime.com/Railpix, 127 ab.c. Dreamstime.com, 127ab.d. Dreamstime.com/ Has1sue, 128ar. Dreamstime.com/Pierdelune, 128ab. Dreamstime.com/Webking, 129ar. Dreamstime.com, 129ab. Dreamstime.com/Monochrome, 130ar. Dreamstime.com, 130ab. Dreamstime.com, 131ab. Dreamstime.com/Mirafilm, 132ab. Dreamstime.com/Has1sue, 133ab. Dreamstime.com/Jenny Solomon, 135ar. Dreamstime.com/Diomedes66, 136ar. Tall Tree Ltd, 137ar. Dreamstime.com/Photodesign, 138 i. Dreamstime.com/Cjdabruin, 139ab. Dreamstime.com/Cjdabruin, 140ab. Tall Tree Ltd, 141ar. Dreamstime.com/Saffiresblue, 141ab. Dreamstime.com, 142ar. Dreamstime.com, 142ab. Dreamstime.com/Nikonianart, 143ar. Dreamstime.com/Amaviael, 144ar. Dreamstime.com/Lakisf, 144ab. Dreamstime.com, 146 i. Dreamstime.com, 147ar. Dreamstime.com/Rb-studio, 149ar. Dreamstime.com/Highlanderimages, 149ab. Dreamstime.com, 150ar. Dreamstime.com, 150ab. Dreamstime.com, 151ar. Dreamstime.com/Webking, 152ab. Dreamstime.com/Denjoe12, 153ar. Dreamstime.com/Railpix, 154ar. Dreamstime.com, 155ar. Peter Turnley/CORBIS, 156 Dreamstime.com/Dndavis, 157ab.i. Dreamstime.com/Daniel Boiteau, 157ab.c. Dreamstime.com/Elena Elisseeva, 157ab.d. Dreamstime.com, 158ar. Dreamstime.com/Mylightscapes, 158ab. Dreamstime.com/ Elena Elisseeva, 159ar. Dreamstime.com/ Luisa Fernanda, 160ab. Dreamstime.com/ Pieter Janssen, 161ar. Dreamstime.com/Marcus Brown, 161ab. Dreamstime.com/Vasiliy Koval, 162ar. Digital Vision, 162ab. Kim Ludbrook/epa/Corbi, 163ar. Bettmann/CORBIS, 163ab. Royal Household handout/epa/Corbis, 164ar. John Deere, 164ab. Natalie Fobes/CORBIS, 165 i. Dreamstime.com/Ilya Pivovarov, 165c. Digital Vision, 166ar. Digital Vision, 166ab. William Campbell/Sygma/Corbis, 167ar. Dreamstime.com/Dndavis, 168ar. Keren Su/CORBIS, 168ab. Dreamstime.com/Sparky2000, 169ar. Dreamstime.com/Xiphias, 169ab. Iain Le Garsmeur/CORBIS, 170ar. Digital Vision, 170ab. Dreamstime.com/Kroft, 171ar. Dreamstime.com/ Stougard, 171c. NASA, 171ab. Dreamstime.com/Tsz01, 172ar. Dreamstime.com - David McKee, 172ab. Dreamstime.com, 173ar. Dreamstime.com/Daniel Boiteau, 173ab. Reuters/ CORBIS, 174ar. Roger Ressmeyer/CORBIS, 174ab. Dreamstime.com/Zinchik, 175ar. Dreamstime.com/Edyta Linek, 175ab. Ajay Verma/Reuters/Corbis, 176ab. Colin McPherson/Corbis, 177ar. Dreamstime.com/Craig Ruaux, 177ab. Dreamstime.com, 178ar. Dreamstime.com, 178ab. Jeremy Horner/CORBIS, 179ar. Dreamstime.com/Bonnie Jacobs, 179ab. Wendy Stone/ CORBIS, 180i. Dreamstime.com/David Davis, 180ab. Matthias Schrader/dpa/Corbis, 181ar. Dreamstime.com/Kiankhoon, 181ab. Dreamstime.com, 182ar. Dreamstime.com/Norman Chan, 182ab. Olivier Martel/Corbis, 183ar. Dreamstime.com, 183ab. Paul Barton/Corbis, 184ar. Dreamstime.com/Winterling, 184ab. Dreamstime.com/Pulsartt, 185ar. Dreamstime.com/ Siamiages, 185ab. Dreamstime.com/Franz Pfuegl, 186 Dreamstime.com/Rafa Irusta, 187ab.i. Digital Vision,187ab.c. Digital Vision, 187ab.d. Dreamstime.com, 188d. Dreamstime.com/ Marcelo Zagal, 188c.i. Dreamstime.com/Andreus, 189ar.i. Dreamstime.com/Kasia75, 189ab. Dreamstime.com, 190ar. Dreamstime.com, 190ab. NASA, 191ar. Dreamstime.com/Bigmax, 192ar. Dreamstime.com, 192ab. Dreamstime.com/Daniel Gale, 193ar. Dreamstime.com, 194ar. Dreamstime.com/Holger Feroudj, 194ab. Dreamstime.com, 195ar. Dreamstiem.com/ Roy Mattappallil, 196ab. Digital Vision, 197ab. Dreamstime.com, 198ar. Dreamstime.com/Dkye, 198ab. Dreamstime.com/Jason Stitt, 199ar. Dreamstime.com/Alan Snelling, 199ab. Dreamstime.com/Terdonal, 200ab. Digital Vision, 201ar. Dreamstime.com/Vasiliy Koval, 201ab. Dreamstime.com, 202ar. Dreamstime.com/Pete Favelle, 202ab. Dreamstime.com/Todd Taulman, 203ar. Dreamstime.com/Ian Turk, 203ab. Dreamstime.com/Adeline Yeo Hwee Ching, 204ar. Dreamstime.com/Martin Green, 204ab. Dreamstime.com, 205ar.i. Dreamstime. com/Nicole Waring, 205ar.c. Dreamstime.com, 205ar.d. Dreamstime.com/Tomasz Adamczyk, 205ab. Digital Vision, 206ar. Digital Vision, 206ab. Dreamstime.com/Ye Liew, 207ar. Dreamstime.com/Mary Lane, 207ab. Dreamstime.com/Elminster, 208ar. Dreamstime.com, 208ab. Dreamstime.com/Lancemichaels, 209ar. Dreamstime.com/Rafa Irusta, 209ab. Dreamstime.com, 210ar. Dreamstime.com/Jerry Horn, 210ab. Dreamstime.com/John Sartin, 211ar.i. Dreamstime.com, 211ar.d. Dreamstime.com/Scott Rothstein, 212at.d. Dreamstime.com/ Attila Huszti, 212ar.c. Dreamstime.com/Adam Borkowski, 212ar.i. Dreamstime.com/Jose Antonio, 213ar.d. Dreamstime.com/Visualfield, 213ab. Dreamstime.com, 214ar. Dreamstime.com/ Crni_arapin, 214ab. Dreamstime.com, 215ar. Dreamstime.com, 215ab. Dreamstime.com/Andreas Weiss, 216 Dreamstime.com/F2, 218-219 Dreamstime.com